LA GUERRE DES NUMÉROS

ALIGNEMENT PARTANT

Capitaine
POSITION
Centre
ORIGINE
Bâton-sur-Glace
LES CASTORS DE BÂTON-SUR-GLACE
10
Ti-Guy La Puck
POSITION
Défenseur
ORIGINE
Bâton-sur-Glace
LES CASTORS DE BÂTON-SUR-GLACE
4
Bobby Zamboni

POSITION
Défenseur
ORIGINE
Bâton-sur-Glace
LES CASTORS DE BÂTON-SUR-GLACE
76
Marc Aubut
POSITION
Ailier
ORIGINE
Bâton-sur-Glace
LES CASTORS DE BÂTON-SUR-GLACE
20-100
Vincent Laflèche

POSITION
Ailier
ORIGINE
Bâton-sur-Glace
LES CASTORS DE BÂTON-SUR-GLACE
67
Hugo
Letour-Duchapeau
RECRUE
POSITION
Centre
ORIGINE
Pékin, Chine
LANGUES PARLÉES
Anglais, français, mandarin
LES CASTORS DE BÂTON-SUR-GLACE
18
Bok Choy

RECRUE
POSITION
Ailier
ORIGINE
Acapulco, Mexique
LANGUES PARLÉES
Français, espagnol
LES CASTORS DE BÂTON-SUR-GLACE
53
Sombrero Burrito
RECRUE
POSITION
Défenseur
ORIGINE
Stockholm, Suède
LANGUES PARLÉES
Anglais, suédois
LES CASTORS DE BÂTON-SUR-GLACE
6
Otto Graff

RECRUE
POSITION
Gardien de but
ORIGINE
Londres, Angleterre
LANGUE PARLÉE
Anglais
LES CASTORS DE BÂTON-SUR-GLACE
29
Kass Bauer

ALIGNEMENT PARTANT

GOLDEN GIRLS
NEW ICE
Capitaine
Max Passe-Parissy
67
Centre
PARTICULARITÉ
C'est une battante. Elle ne laisse personne l'intimider. Ôtez-vous de son chemin, sinon ça pourrait mal se terminer.
GOLDEN GIRLS
NEW ICE
Corinne Big-Mac-David
Ailier
97
PARTICULARITÉ
Corinne est une joueuse de grand talent qui entretient une foule de superstitions étranges.

GOLDEN GIRLS
NEW ICE
Patricia Roy
Gardienne de but
33
PARTICULARITÉ
Elle est toujours partante pour une petite séance de méditation lorsque les joueurs sont agités.
GOLDEN GIRLS
NEW ICE
Shea Butter
Défenseure
6
PARTICULARITÉ
Shea est dotée d'une force remarquable.

GOLDEN GIRLS
NEW ICE
8
Alexandra Ovèche-King
Ailier
PARTICULARITÉ
Joueuse de grand talent, Alexandra déjoue toutes les statistiques avec son impressionnante feuille de pointage.
GOLDEN GIRLS
NEW ICE
DJ
D.J. Sous-Band
Défenseure
76
PARTICULARITÉ
D.J. est une grande passionnée de musique. Elle aime chanter, danser et, surtout, composer !

Yé !
On joue dehors !

Il fait beau, aujourd'hui, à **BÂTON-SUR-GLACE.** Tellement beau que l'enseignant d'éducation physique a proposé aux élèves d'aller s'amuser dehors en après-midi. Évidemment, ils ont accepté avec **joie !** Quoi de mieux qu'une partie amicale pour terminer la journée ? Surtout quand le professeur prend part **AU MATCH !**

À la petite école du village, une **SECTION DE LA COUR** est consacrée au **HOCKEY** de façon permanente. On y retrouve une **patinoire,** un **BANC,** ainsi qu'une **rangée d'estrades**. Ce sont les élèves qui ont la responsabilité d'entretenir les lieux. Ils doivent :

pelleter la neige après chaque bordée,

vérifier l'état du matériel

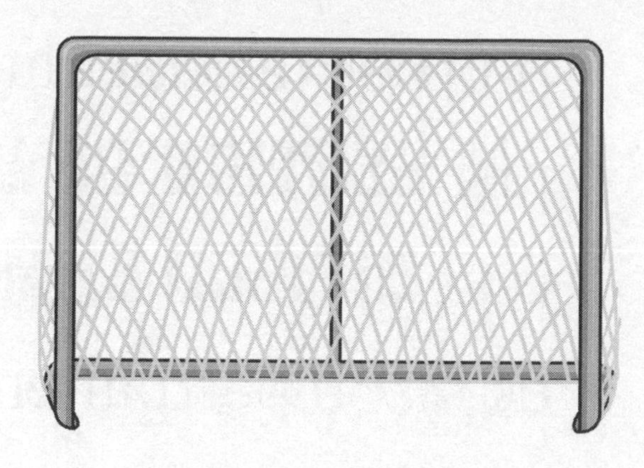

et arroser la patinoire pour la garder en bonne condition.

Malheureusement, la glace a été endommagée par les **GRANDES PLUIES** de la veille, alors le professeur a proposé de jouer dans la neige, juste à côté. C'est un peu plus **DIFFICILE**, puisque le sol est *glissant* par endroits, mais tout aussi **amusant !**

La **TROISIÈME PÉRIODE** de cette partie amicale est sur le point de commencer. **Marc Aubut** se tient droit, une **balle de plastique** dans une main, un **sifflet** d'arbitre dans l'autre.

Il est **prêt** pour
la **MISE EN JEU.**
C'est lui qui a été pigé
pour arbitrer, aujourd'hui,
alors il doit être très ATTENTIF
à ce qui se passe autour
de lui. Il en profite même
pour faire ses propres
commentaires,
histoire d'ajouter
un peu d'action.

— Nous sommes sur
le point de **reprendre**,
mesdames et messieurs !
annonce-t-il d'un **AIR SÉRIEUX.**
Je demanderais aux joueurs
de prendre **position**,
s'il vous plaît.

Les deux premières
périodes ont été plutôt
captivantes. Marc a
vraiment **hâte** d'arbitrer
la suite !

Tableau récapitulatif

X	Ti-Guy a compté deux magnifiques buts.
X	Kass Bauer a réussi plusieurs arrêts spectaculaires, dont un avec le bout de sa botte!
X	Bok Choy et Sombrero Burrito ont réalisé une feinte digne de la LMHG (Ligue mondiale de hockey sur glace).
X	Hugo Letour-Duchapeau a complété un tour du chapeau (évidemment!) en marquant trois fois en moins de soixante secondes.
X	Gêné par sa vitesse légendaire, Vincent Laflèche a raté le filet à CHACUN de ses tirs, il a marché sur ses lacets à deux reprises et il a envoyé de la neige dans le visage de son professeur, qui joue dans l'équipe adverse, en effectuant un lancer.

— Les **ROUGES** arriveront-ils à remonter la pente ? demande Marc, à la manière d'un **analyste sportif.** Les joueurs devront faire preuve de **caractère** s'ils veulent remporter la partie. Le dernier but de Ti-Guy a assuré une confortable avance aux chandails **BLEUS.**

Marc fait tourner la balle dans sa main, le bras toujours tendu au-dessus du cercle des mises en jeu. Il ajoute avec **intensité** :

— La cloche sonnera dans moins de cinq minutes. Voyons ce que la fin du match nous réserve. Je parie que les gardiens vont tout donner ! Kass Bauer me semble en excellente forme, aujourd'hui, mais Éliott m'impressionne davantage avec ses **prouesses** inédites. Je suis sûr qu'il parviendra à…

— **ARRÊTE DE PARLER!** crie Mella, la jumelle de Marc, en tapant dans la neige à grands coups de bâton. ALLEZ !

— Oui, c'est beaucoup **trop long !** rouspète Bok Choy en sautillant sur place.

— **LET'S GO !** ajoute Kass, qui a pourtant l'habitude de se montrer très patient.

— OK, OK.

Marc jette un dernier coup d'œil à ses camarades, laisse tomber la balle à ses pieds et recule de quelques pas pour observer le jeu.

— La mise est remportée par ma sœur, qui envoie aussitôt la balle à son défenseur. Celui-ci la **contrôle** un moment, **lève** la tête pour repérer ses options, et **passe** ensuite à Isha. **Non,** attendez, il s'agit plutôt de Lydia-Maude.

Il m'arrive de les **MÉLANGER** lorsqu'elles portent leur habit de neige. **Lydia-Maude** avance de quelques pas... **Oh,** je crois que c'est **Isha,** finalement. Désolé pour mon erreur.

— **CONCENTRE-TOI, MARC!** ronchonne Vincent Laflèche en passant à toute *vitesse* à côté de son ami. La tuque d'Isha est **mauve,** tandis que celle de Lydia-Maude est **verte.**

— Oui, je vais faire attention. De toute façon, l'équipe des **rouges** apporte des changements, alors ça risque d'être plus simple. *Oh !* Voilà Bok Choy qui entre en jeu. Quelle remontée **SPECTACULAIRE !** Il **contourne** Ti-Guy La Puck, **prend** son élan et **glisse** tête première entre les jambes du professeur. Tout ça, sans perdre la balle !

— Comment a-t-il réussi un tel **EXPLOIT ?** C'est vraiment **impressionnant !** Je me demande si j'arriverais à me faufiler de cette façon avec des patins dans les pieds. Je pourrais tenter ma chance lors du prochain match...

Marc baisse les yeux au sol et bouge ses bottes pour exécuter quelques **mouvements rapides.** Pendant ce temps, le jeu se poursuit derrière lui et des cris de joie se font entendre.

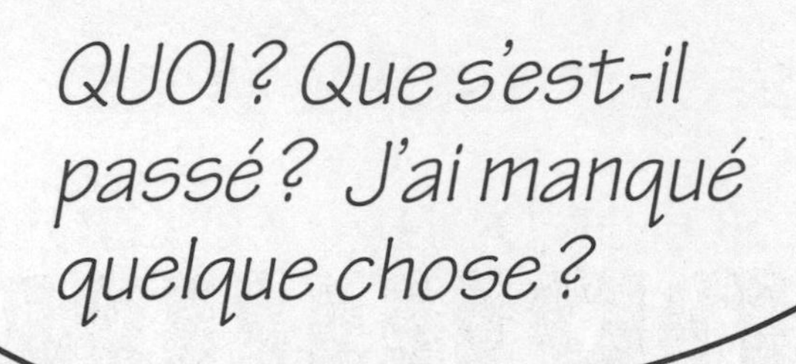

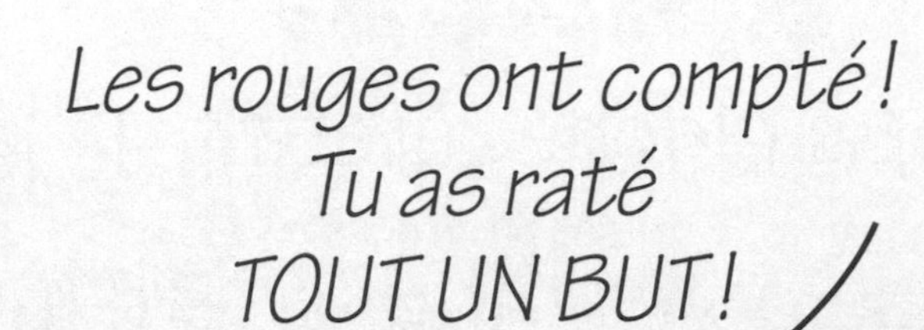

Ah oui ? Ah bon…
J'imagine qu'on peut
ajouter un point au
tableau, dans ce cas.
Ce qui porte
la marque à…

DRIIIIING !

La cloche retentit avec **FORCE**, annonçant ainsi la fin des cours. Marc reste planté là un moment, un peu confus, pendant que les autres élèves **s'agitent dans tous les sens**.

— Prenez le temps de ranger vos bâtons avant de partir, dit le professeur d'éducation physique en souriant. Et pensez à prendre vos sacs à dos. Bonne soirée, les enfants.

Tout le monde accueille
la fin de la journée avec
enthousiasme.
Surtout Ti-Guy, qui l'attendait
avec **IMPATIENCE !**
Le garçon court porter
son bâton à l'endroit indiqué
et récupère son sac en *vitesse*.
Il a trop hâte de rentrer !

— Viens-tu chez moi ?
propose Bobby Zamboni en
marchant à ses côtés. Kass
et moi, on a commencé à
construire une **SUPER GLISSADE**

derrière le garage et on
aimerait la terminer
avant qu'il reparte
dans son pays.
On pourrait
la continuer
ensemble.
Mes parents ont
même promis de nous aider !

— Je ne peux pas, répond
Ti-Guy en accélérant le pas.
Je veux arriver à la maison
au plus *vite*. **J'AI TROP
HÂTE DE...**

— ... de savoir si **Corinne** t’a écrit, complète Bobby en levant les yeux au ciel.

C’est vrai. Comment ai-je pu oublier ? Tu m’en as parlé **TOUTE LA JOURNÉE, POURTANT !**

— **OUI, DÉSOLÉ.** J'ai vraiment essayé de songer à autre chose, mais notre échange de textos de ce matin occupe **CHACUNE** de mes pensées. Je me demande **VRAIMENT** ce que la capitaine de son équipe avait de **SI** pressant à lui dire.

Ti-Guy connaît la dernière conversation qu'il a eue avec Corinne **par cœur,** tellement il l'a repassée souvent dans sa tête :

Corinne

Oh! J'ai reçu un message de Max. Elle dit que c'est important! Qu'est-ce que je fais?

Ti-Guy

Réponds-lui! 

Corinne

Je me demande ce qu'elle veut… Oh, oh! Elle dit qu'il y a un problème. Un GROS problème!

Ti-Guy

Quoi? Qu'est-ce qui se passe?

Corinne

Je l'ignore. Elle va m'en parler tout à l'heure à l'école.

Ti-Guy

J'espère que ce n'est pas trop grave. Tu me tiens au courant?

— Est-ce que je peux t'accompagner chez toi ? demande Bobby. Je suis **curieux**, moi aussi.

— **PAS DE PROBLÈME!** Tant que tu arrives à me suivre.

— **FACILE!**

Bobby fait signe à Kass Bauer qu'il peut rentrer sans lui et se précipite aux côtés de Ti-Guy. Les deux garçons posent les mains sur les courroies de leurs sacs à dos et se mettent à **courir.**

— DOUCEMENT, se plaint Bobby au bout d'un moment, le **SOUFFLE COURT**. Ton iPod ne va pas se sauver ! En plus, tu ne sais même pas si Corinne est revenue de l'école.

— **Je suis sûr que oui !** Qu'est-ce qu'il y a ? Tu es déjà fatigué ? réplique le capitaine des Castors pour se moquer gentiment de son ami. Moi qui te croyais en forme ! **ALLEZ ! PLUS VITE ! PLUS VITE ! ON EST PRESQUE ARRIVÉS !**

Une fois entrés dans
la résidence de la famille
La Puck, Ti-Guy et Bobby
enlèvent leurs bottes et
leur manteau. C'est le CALME
PLAT dans la maison. Les deux
garçons se précipitent dans
la chambre de Ti-Guy.
Ses parents sont toujours
au travail et ses sœurs
ne sont pas encore revenues
de l'école. Le capitaine s'assoit
sur son lit, s'empare de son

iPod et s'exclame avec enthousiasme :

— **GÉNIAL ! ELLE M'A ÉCRIT !**

Un numéro, c'est sacré !

CHAPITRE 02

Bobby s'approche pour lire par-dessus l'épaule de son capitaine. Il veut connaître **TOUS les détails** de sa conversation avec Corinne.

Corinne

Salut, Ti-Guy!
J'ai parlé à Max.
Elle a raison, on a
un problème! Écris-moi
à ton retour de l'école,
d'accord?

Ti-Guy s'empresse de répondre à son amie, le cœur battant.

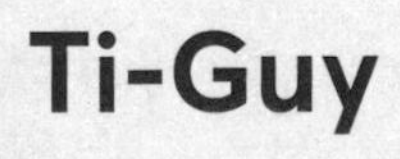

Ti-Guy

Me voilà! J'espère qu'il
n'y a rien de grave.

Corinne

Non, non... Mais ça risque de compliquer les choses pour le Grand tournoi international de Bâton-sur-Glace.

Ti-Guy

Oh! Est-ce que Max a changé d'idée? Elle ne veut plus qu'on associe nos équipes pour en former une seule, c'est ça? Elle nous laisse tomber?

Corinne

Relaxe! Elle est toujours d'accord pour qu'on joue tous ensemble.

Ti-Guy

Quel est le problème, dans ce cas?

Corinne

Elle refuse de changer son numéro de chandail.

Ti-Guy

Ah, OK. Je suis un peu mêlé, là… Pourquoi devrait-elle changer de…

Ti-Guy arrête d'écrire. Il vient de **comprendre**. Il écarquille les yeux et se frappe le front avec le poing.

— **Nom d'un jack-strap !**

— Qu'est-ce qu'il y a ? demande Bobby Zamboni, les sourcils froncés.

— **Comment j'ai pu passer à côté de ça ?** grogne le capitaine des Castors en se levant, **FRUSTRÉ.** C'était pourtant si évident !

Bobby tend la main pour que Ti-Guy lui donne son iPod. Il relit le message de Corinne plusieurs fois en agitant la tête de gauche à droite.

— J'ai besoin que tu m'expliques.

— **C'EST SIMPLE!** lâche Ti-Guy en faisant des allers-retours dans sa chambre. Quel est le **numéro de chandail** de Marc Aubut?

— **C'est le 76,** répond Bobby en haussant les épaules. Pourquoi ?

— Et quel est **celui** de D.J. Sous-Band ?

— **Le 76 aussi...** Ahhhh, je vois...

— Et il y en a **d'autres qui se répètent!** continue Ti-Guy en s'emparant d'une feuille et d'un papier pour dessiner un tableau. **Shea Butter** et **Otto Graff** ont tous les deux le numéro 6, tandis que **Max** et **Hugo** portent le 67. C'est un

RÉEL PROBLÈME!

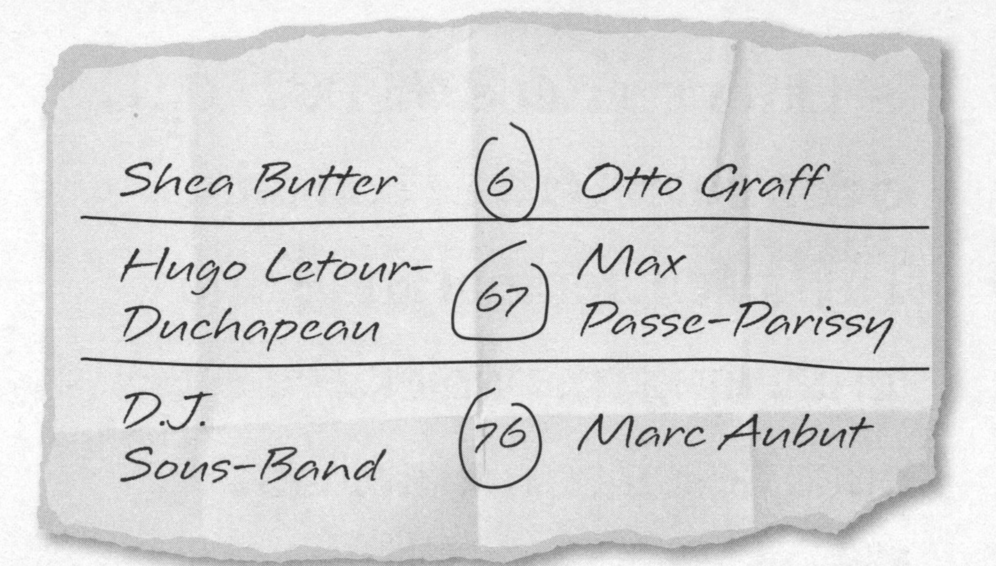

— Pas tant que ça, argumente Bobby. On peut très bien demander à certains joueurs de changer de numéro pour la durée du tournoi, non ? C'est seulement cinq jours, ils pourront le récupérer après.

Ti-Guy est **étonné** par le commentaire de son ami. **TOUT LE MONDE** sait qu'un numéro, c'est SACRÉ ! Il croise les bras et s'exclame, préoccupé :

— C'est ce que tu ferais, **toi,** si tu étais dans cette situation ? Tu accepterais de le laisser à quelqu'un d'autre ?

— Tu veux rire ? Le 4, c'est **MA VIE !** Rien ne pourrait le remplacer ! Il faut que je sois parfaitement **concentré** pour jouer dans un tournoi prestigieux comme celui de Bâton-Sur-Glace. Tu imagines de quoi j'aurais l'air avec un 8 ou un **52** dans le dos ? Pfft ! Des plans pour que je compte dans **MON PROPRE FILET !**

— C'est bien ce que je croyais, marmonne Ti-Guy en se grattant la nuque pour réfléchir. Je pense que les autres seront de **TON AVIS.** Personne n'acceptera de **changer de numéro, même pour cinq jours!**

Ti-Guy reprend son iPod afin de consulter Corinne.

Ti-Guy

Qu'est-ce qu'on fait?
As-tu une solution
à proposer?

Corinne

Pas encore. J'étudie
les possibilités.

Ti-Guy

On pourrait organiser
une réunion spéciale
pour discuter de tout ça.
Qu'est-ce que tu en dis?

Corinne

Bonne idée! Ça nous permettra de savoir ce que tout le monde en pense. J'en parle aux filles. On s'en redonne des nouvelles, d'accord?

Ti-Guy éteint son appareil.
Il se tourne vers son ami
et lui annonce :

—Le tournoi
risque d'être
plus compliqué
QUE PRÉVU !

Jouer contre des filles ? Pourquoi pas ?

CHAPITRE

03

Bonsoir, mesdames et messieurs. Ici **Stanley Crosby** en compagnie de **Maurice Cendispourcent**. Ouvrez grand vos oreilles parce que nous serons contraints de parler À VOIX BASSE pendant cette **présentation spéciale** de **MISSION HOCKEY !**

En effet, chers **téléspectateurs.** Une rencontre **IMPROVISÉE** a lieu en ce moment même au restaurant Le coup de patin, réunissant les **GOLDEN GIRLS** et les Castors. Nous avons dissimulé un **micro** sous la table des joueurs et nous nous cachons actuellement dans les toilettes afin de récolter un **MAXIMUM** de renseignements.

Certains pourraient nous accuser d'espionnage…

... alors qu'en fait, nous voulons seulement **informer** la population des **ACTIVITÉS IMPORTANTES** qui concernent les Castors.

Bien dit, Maurice ! Oh ! **Purée de rondelle !** Quelqu'un se dirige vers une cabine... Coupez les micros ! Ce n'est pas le genre de bruit que les spectateurs souhaitent entendre !

Joueurs qui ont
le même numéro :
Shea Butter
6
Otto Graff
Hugo Letour-
Duchapeau
67
Max
Passe-Parissy
D.J.
76
Marc Aubut
Menu
Pizza
2/1!

Dans une petite salle privée du restaurant, la tension **EST À SON COMBLE.** Les joueurs des deux équipes s'observent **froidement,** les poings serrés. Ti-Guy La Puck et Corinne Big-Mac-David discutent un moment à VOIX BASSE et lèvent une feuille dans les airs en attendant que Vincent Laflèche revienne des toilettes.

Joueurs qui ont le même numéro :

Shea Butter	6	Otto Graff
Hugo Letour-Duchapeau	67	Max Passe-Parissy
D.J. Sous-Band	76	Marc Aubut

— Voici un **résumé** de la situation, déclare Corinne en pointant les noms qui y sont inscrits. Je pense qu'ensemble, on peut trouver une **Solution**.

— Pourquoi nos entraîneurs sont-ils absents ? demande Alexandra Ovèche-King. Ça les concerne, eux aussi.

— Yvon Gagné refuse de s'en mêler, explique calmement Ti-Guy. Il dit que ce sont des **ENFANTILLAGES.**

— Même chose du côté de **notre coach,** mentionne Corinne. Gaétan D'Arrêt préfère qu'on règle ça entre nous. Il nous demande de faire des **COMPROMIS.**

— **DES COMPROMIS ?** répète sèchement Max Passe-Parissy. **C'EST UNE BLAGUE ?** J'ai choisi ce numéro à l'âge de **TROIS ANS** et j'ai le même depuis tout ce temps !

Il est hors de question que je m'en départisse ! C'est à Hugo de s'en trouver un autre !

— **Hé !** Pourquoi serait-ce **à moi** de plier ? rétorque l'ex-gardien de but, offusqué.

— Parce que je suis plus ancienne que toi ! Tu portes le **67** depuis quelques semaines seulement ! Reprends ton **vieux numéro** et tout le monde sera **content** !

— Tu rêves en couleurs si tu penses que je vais te laisser me le voler ! Je fais un tour du chapeau à **TOUS LES MATCHS** depuis que j'ai changé de numéro. Tu crois que je suis prêt à abandonner ça ?

Pas question !

En plus, j'ai fait quelques recherches, et j'ai découvert que le 6 et le 7 sont censés porter **chance** aux joueurs qui ont les **YEUX BLEUS** **ET** une **TACHE DE NAISSANCE** sur la jambe gauche. Tu sais de quelle couleur sont mes yeux ? Ils sont **BLEUS !**

Et j'ai une tach...

— **C'EST N'IMPORTE QUOI, TON HISTOIRE!** se fâche Max Passe-Parissy, sans lui laisser le temps de terminer sa phrase. Je suis sûre que **tu as inventé** tout ça!

Ti-Guy aimerait intervenir – les propos de ses joueurs commencent à lui faire **PEUR!** –, mais Marc est plus rapide que lui:

— Je ne peux pas changer, moi non plus, s'écrie-t-il en agitant sa fourchette devant lui.

C'est CARRÉMENT IMPOSSIBLE!

Le geste de Marc est si **BRUSQUE** qu'un bout de laitue se décroche de son ustensile et atterrit directement dans le front de Patricia Roy.

La jeune fille *grimace de dégoût* et s'essuie avec sa serviette de table, tandis que le garçon continue sans remarquer quoi que ce soit :

— J'ai déjà joué avec
le chandail de quelqu'un
d'autre une fois, parce que
j'avais oublié le mien, et ça
a été la **catastrophe !**
J'ai compté dans notre
but à **deux reprises !**
VOUS IMAGINEZ ?
Ça risque de se reproduire,
si vous décidez de me l'enlever.
Et là, vous allez tous me
détester, car on aura perdu
à cause de moi et...

Cette fois, Ti-Guy doit s'en mêler !

— **C'EST BON,** je pense qu'on a compris, affirme-t-il en levant une main vers son ami pour l'inciter au CALME. Laissons chacun s'exprimer. **Toi, D.J. ?** Qu'est-ce que tu as à dire ? Accepterais-tu de porter un autre chandail ?

La jeune fille enlève
ses écouteurs et
les accroche autour de
son cou. Elle fredonne un air
qu'elle seule semble connaître,
tout en faisant **BOUGER**
SES DOIGTS sur la table
à la manière d'une *pianiste.*
Puis, elle sourit et
répond enfin :

— **76 :** c'est la **quantité d'instruments** de musique que je possède. C'est l'année de naissance de *Jazzy Pop*, le plus GRAND joueur de saxophone de tous les temps. Et c'est aussi le **nombre de chansons** que j'ai composées depuis

que j'ai commencé à écrire. Comme je n'ai rien écrit de bon depuis des semaines, **CE N'EST VRAIMENT PAS LE MOMENT DE CHANGER!** Le 76 me va comme un gant. Je dois préserver mon **équilibre musical**, tu vois ?

Ti-Guy hoche la tête, DÉCOURAGÉ. Il n'est pas certain d'avoir tout saisi, mais il souhaite respecter le point de vue de D.J. Il aurait néanmoins préféré une réponse différente. Il se tourne ensuite vers Shea Butter pour la questionner du regard. La lueur qui brille dans ses yeux suffit à lui faire comprendre

qu'elle n'a pas l'intention
de faire le moindre
compromis, elle non plus.
Les muscles de sa nuque
sont si CONTRACTÉS qu'on
a l'impression qu'elle
s'apprête à **attaquer.**
Ti-Guy sent quelques poils
se HÉRISSER sur ses bras...
Il a même un peu mal
au cœur, tout à coup...
Il est vrai que Shea Butter
est assez **EFFRAYANTE** quand
elle est de mauvais poil.

Quant à **Otto Graff**, qui porte le même numéro qu'elle, il secoue la tête de gauche à droite chaque fois que Bok Choy lui traduit des bribes de conversation.

— Bon... Ça risque d'être un peu plus **COMPLIQUÉ** que prévu, admet Corinne. Le tournoi a lieu dans quelques semaines. On doit remédier à la situation au plus vite. **Qu'est-ce que vous proposez ?**

Les joueuses des **GOLDEN GIRLS** se regardent en haussant les épaules, tandis que **Sombrero Burrito** lève fièrement un doigt et s'exclame :

— Vous pourriez tirer
à **pile ou face** !

— **À PILE OU FACE ?** répète Max, de mauvaise humeur. **C'EST N'IMPORTE QUOI !**

— Vous pourriez jouer à **roche-papier-ciseaux**, dans ce cas, ajoute le Mexicain. C'est comme tu veux. Sinon, il y a la **courte paille**.

— **Hé!** On parle ici de l'avenir de **NOS NUMÉROS!** rouspète la capitaine des **GOLDEN GIRLS**. Vous comprenez ? **NOS NUMÉROS!** On ne va pas laisser le *hasard* prendre une décision aussi cruciale, franchement ! En plus, ça n'a aucun lien avec le hockey.

— Peut-être, mais au moins, il a essayé, **LUI !** proteste Hugo. Qu'est-ce que tu suggères, toi qui es si fine ?

Marc réagit aussitôt. Il frappe la table avec la main et bondit sur ses pieds afin de prendre la défense de son amoureuse :

— **HÉ ! PARLE-LUI SUR UN AUTRE TON, HUGO !**

— Je lui parle comme je veux !

— C'est la CAPITAINE des **GOLDEN GIRLS** !

— **OUAIS, ET ALORS ?**

— **OK ! DU CALME !** crie Corinne pour mettre fin à la cohue. Arrêtez de vous disputer, tout le monde nous regarde ! On va trouver une **Solution**. Pas vrai, Ti-Guy ?

Ti-Guy hoche la tête en silence. Il est INQUIET de voir ses coéquipiers se quereller ainsi. Il a peur que cette rivalité **divise** le groupe nouvellement formé et que leurs performances en souffrent pendant le **GRAND TOURNOI.**

— Je reviens dans un instant, d'accord ? J'ai besoin de SILENCE pour réfléchir.

Le garçon tourne les talons et disparaît dans le corridor.

Eh bien, il y a de **l'électricité** dans l'air, mesdames et messieurs ! Pensez-vous qu'on doit S'approcher ?

Je préfère reSter caché, Stanley. Les jeunes en ont long à se dire, et c'est **loin d'être beau** à entendre !

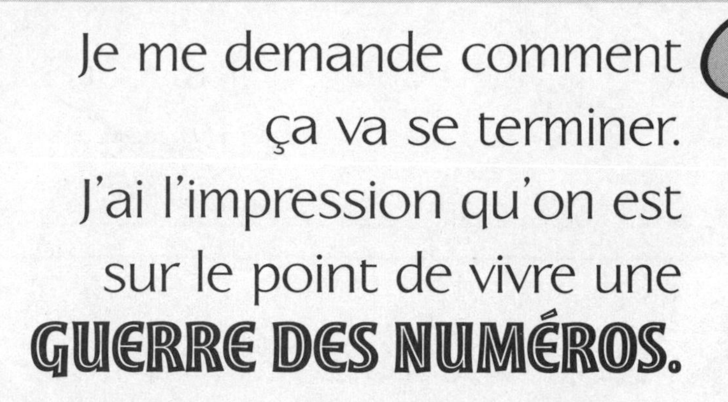

Je me demande comment ça va se terminer. J'ai l'impression qu'on est sur le point de vivre une **GUERRE DES NUMÉROS.**

Oui, eh bien, les joueuses des **GOLDEN GIRLS** risquent d'être déçues...

Déçues? **Pourquoi?**

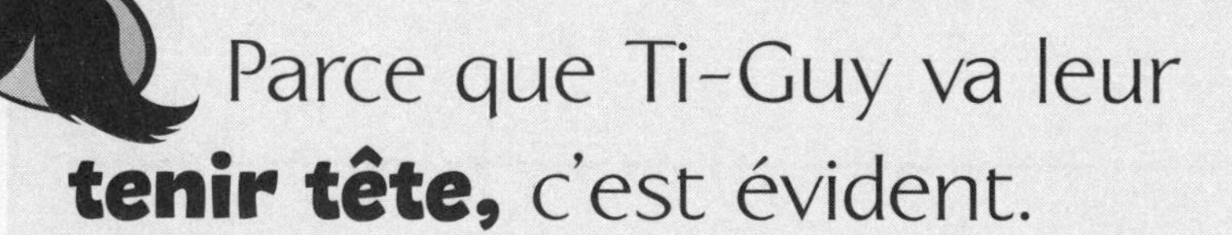

Parce que Ti-Guy va leur **tenir tête,** c'est évident.

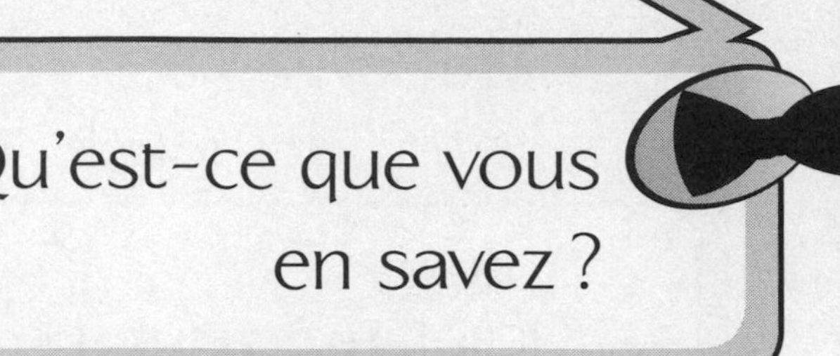
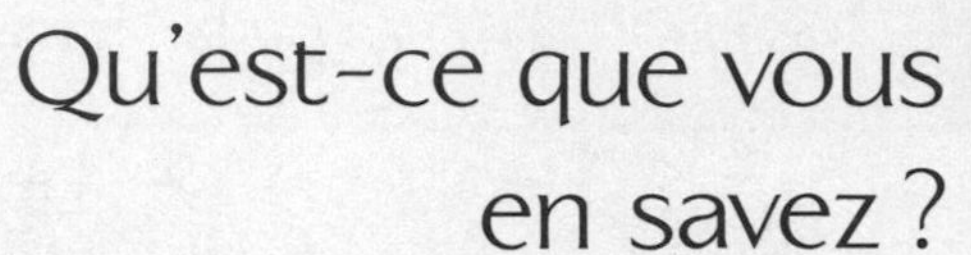

Qu'est-ce que vous en savez ?

Réfléchissez, Stanley. Un capitaine doit **ABSOLUMENT** protéger **L'HONNEUR** de son organisation. Les **Castors** sont implantés dans cette ville depuis des dizaines d'années ! Ils ne vont quand même pas laisser leurs **numéros** aux premières venues !

Hé ! Qu'est-ce que vous faites là ? Vous nous espionnez ou quoi ?

Oups ! Ti-Guy nous a repérés. Profitons-en pour lui poser quelques questions.

Que penses-tu de la **situation ?**
As-tu un plan ?
Une idée ?
Explique aux habitants de Bâton-sur-Glace comment tu comptes t'y prendre pour **régler** ce problème. Ils ont le droit de savoir !
J'ai bel et bien trouvé une Solution. Mais je préfère vous garder la **surprise.**

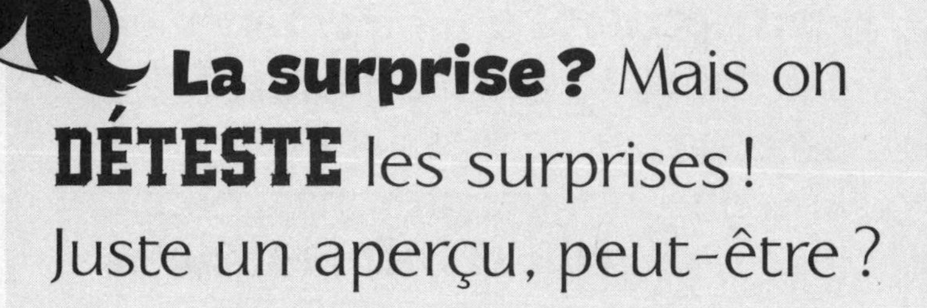

Une petite **PRIMEUR**
de rien du tout ?

Les deux hommes ont beau essayer, Ti-Guy **refuse** de commenter. Il fait demi-tour et quitte les toilettes d'un pas *rapide*.

Je crois que nous devrons **interrompre** momentanément la diffusion de notre **ÉMISSION,** mesdames et messieurs. Restez à l'antenne, nous tenterons d'obtenir plus **d'informations.**

Merci d'avoir été là. Ici **Maurice Cendispourcent** et **Stanley Crosby** en direct du restaurant **Le coup de patin.** On vous dit à très bientôt !

Corinne à la rescousse !

CHAPITRE

04

Dans les jours suivant la réunion, Ti-Guy travaille **sans relâche** pour mettre sur papier son **plan** : organiser une **GRANDE JOURNÉE DE COMPÉTITION !**

Le but étant de déterminer laquelle des deux équipes pourra **CONSERVER SES NUMÉROS.** Il aimerait y consacrer plus d'heures avant d'en parler à ses amis, mais avec l'école, les devoirs et ses entraînements, il manque de temps. Maintenant que c'est samedi, il attend **Corinne Big-Mac-David**, qu'il a invitée à le rejoindre à la maison pour lui donner un coup de main.

— **Je vais ouvrir !** s'exclame-t-il lorsqu'on frappe à la porte.

Ti-Guy se précipite dans l'entrée, mais ses sœurs arrivent les premières. Elles ont **très hâte** de voir Corinne et l'accaparent dès qu'elle pose un pied dans l'entrée.

Salut ! As-tu vu mes nouvelles boucles d'oreilles ? Elles sont belles, hein ?

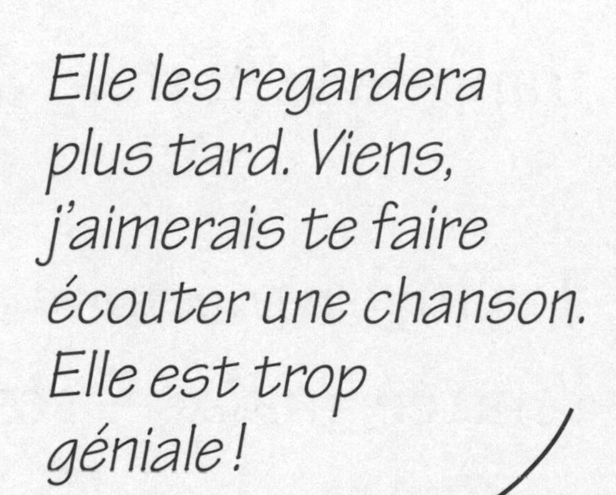

— **C'EST BON,**
LAISSEZ-LA RESPIRER,
ronchonne Ti-Guy.
De toute façon, on a
du travail. Tu peux m'attendre
dans ma chambre, Corinne.
Je vais nous chercher
quelque chose à boire.

— C'est ça, marmonne
Ella tandis que Corinne
a le dos tourné. Vous allez
en profiter pour **vous**
embrasser, hein ?

Ha! Ha! Ha!
Ha! Ha!
SMACK
SMACK

La jeune fille bécote le revers de sa main en faisant des sons avec sa bouche, sous l'œil *horrifié* de son grand frère.

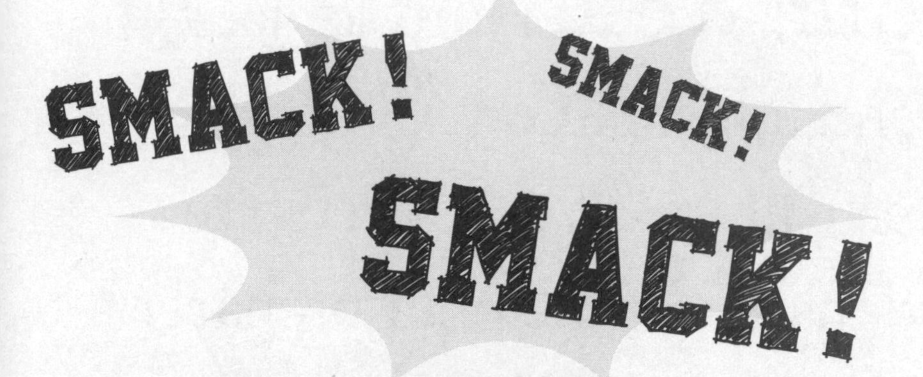

— **TU RACONTES N'IMPORTE QUOI!** rouspète Ti-Guy, mal à l'aise. On est seulement des **amis**! Combien de fois vais-je devoir vous le dire ?

— Tant qu'on n'en sera pas convaincues !

Tamie et Ella lui font un clin d'œil lourd de sous-entendus. Ti-Guy SOUPIRE bruyamment et se précipite dans la cuisine pour préparer deux verres de limonade. Une fois dans sa chambre, il referme la porte en maugréant contre ses deux sœurs.

Mais le capitaine des **Castors** a beau rouspéter, Corinne ne semble pas l'entendre. Elle est déjà penchée au-dessus de la table de travail, les yeux posés sur les cahiers de notes.

— **Hum,** c'est bien, marmonne-t-elle en tournant les pages une à une. **C'est très bien, même.** Mais j'aimerais qu'on revoie quelques trucs ensemble, **D'ACCORD ?** Assieds-toi.

Ti-Guy fait ce que son amie lui demande et l'écoute lui exposer son point de vue. Il comprend vite que Corinne a **tout ce qu'il faut** pour organiser de grands événements.

Elle est méthodique et

STRUCTURÉE. Elle pense

aux détails importants,

tels que réserver l'aréna,

planifier le matériel, créer

un système de pointage,

ET MÊME...

— Où sont les invitations ?

Je peux les voir ?

Ti-Guy écarquille les yeux et

CESSE DE RESPIRER un moment.

— **Nom d'un jack-strap !** lâche-t-il avec découragement. J'ai complètement oublié de les rédiger !

Corinne **pouffe de rire** devant l'étourderie de son ami.

— Ça ne fait rien. Mais on doit les envoyer dès **AUJOURD'HUI** si on veut que tout le monde soit présent.

Corinne couche quelques idées sur papier. Avec l'aide de Ti-Guy, elle modifie certaines phrases et effectue des recherches sur **Internet** pour améliorer la **qualité** de son texte. Une fois que c'est fait, elle s'éclaircit la gorge et lit sa version finale **À VOIX HAUTE:**

Chères joueuses,
Chers joueurs,

Comme vous le savez, les Golden Girls et les Castors sont confrontés à un problème de la plus haute importance : un problème que certains qualifient de « guerre des numéros ». Afin de le régler, une compétition AMICALE a été organisée. À l'issue de cette journée, L'ÉQUIPE GAGNANTE aura le droit de conserver ses numéros lors du Grand tournoi. L'ÉQUIPE PERDANTE, quant à elle, devra malheureusement s'en trouver d'autres.

Les six joueurs impliqués dans
LA GUERRE DES NUMÉROS
doivent se présenter sur la patinoire
de Bâton-sur-Glace à dix heures
samedi prochain. Leurs camarades
sont attendus dans les estrades avec
leur sourire, leur bonne humeur
et leur lot d'encouragements.
Les spectateurs sont les bienvenus.

Au plaisir de vous y voir !

Ti-Guy La Puck,
capitaine des Castors

Corinne Big-Mac-David,
joueuse des Golden Girls

Ti-Guy hoche la tête, **satisfait** du résultat. Il retranscrit le tout à l'ordinateur pendant que Corinne inscrit les noms des joueurs sur des enveloppes. Les deux amis ont presque terminé quand Bobby Zamboni fait **irruption** dans la pièce, tout souriant.

— Salut, Ti-Guy !
J'allais patiner. Viens-tu avec moi ?

Quand Bobby aperçoit Corinne assise sur le lit, un stylo dans une main, une enveloppe dans l'autre, son visage **S'ASSOMBRIT.**

— **Qu'est-ce que tu fais là, toi ?**

Ti-Guy est **ÉTONNÉ** d'entendre Bobby s'adresser à Corinne de cette façon. Il n'a pas l'habitude de se montrer si **grossier.**

— Elle m'aide avec mon projet, explique-t-il simplement.

Les **joues** de Bobby deviennent plus rouges qu'un verre de jus de tomate. Ses **poings** se crispent. Ses **mâchoires** se serrent.

Il prend une grande INSPIRATION et articule sèchement :

— **AH OUI ?** Elle a le droit de t'aider, ELLE ? **C'est drôle...** Toute la semaine, je t'ai proposé plein d'idées et, chaque fois, tu as affirmé que tu pouvais te débrouiller **TOUT SEUL.** Es-tu en train de dire que Corinne est **meilleure** que moi ?

Ti-Guy hésite à répondre. Il se rappelle la réaction de Bobby quand il a entendu parler de la compétition : il a insisté pour s'impliquer ! Le problème, c'est que ses suggestions se sont avérées... quelque peu **EXTRÊMES** et INUSITÉES !

- Combat de sumo
- Course à relais avec les pieds et les mains attachés

- Lancer de la botte d'hiver
- Saut en hauteur dans une butte de neige

(en maillot de bain !)

- Bras de fer au-dessus d'une planche à clous

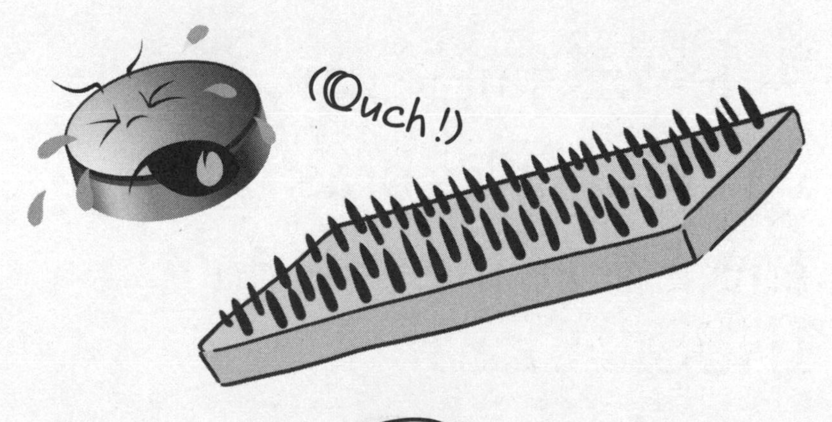

— Corinne et toi êtes très bons **tous les deux,** Bobby, commence Ti-Guy d'une voix **prudente**. Même que tes idées sont très **originales**. Disons seulement que je préfère organiser des épreuves qui sont en lien avec le **HOCKEY.**

— Je vois, fait le garçon en croisant les bras sur sa poitrine, l'air buté.

Je te laisse, dans ce cas. C'est clair que tu n'as plus besoin de moi !

Bobby sort de la chambre et ferme la porte d'un claquement sec.

Il n'y a pas de service au numéro que vous avez composé !

Ti-Guy se sent **très mal,** tout à coup. Pourquoi Bobby est-il si en **Colère** ? Sa réaction lui semble nettement exagérée ! Le capitaine interroge son amie du regard,

mais celle-ci hausse
les épaules en signe
D'IMPUISSANCE. Visiblement,
elle ignore ce qui le met
dans cet état.

Ti-Guy saisit son iPod et
envoie un message à Bobby,
sans savoir si celui-ci
se donnera la peine
de répondre.

Ti-Guy

Hé! Qu'est-ce qui te prend?

Bobby

Désolé, il n'y a pas de service au numéro que vous avez composé.

Ti-Guy

Euh... c'est parce que je suis en train de te texter.

Bobby

Désolé, il n'y a pas de service au numéro que vous avez texté.

Ti-Guy

Bobby…

Bobby

Tiens, tu te souviens de moi?

Ti-Guy

Bien sûr que je me souviens de toi! Tu étais dans ma chambre il y a deux minutes!

Bobby

Ouais, et maintenant, je suis parti!

Bobby

Ti-Guy s'approche de la fenêtre et aperçoit Bobby qui s'éloigne d'un pas pesant. Il a enlevé ses **gants** pour répondre. Il a l'air **COMPLÈTEMENT GELÉ,** le pauvre !

Ti-Guy

Reviens, d'accord?
Il faut qu'on parle.
J'ignore ce que j'ai fait de mal, mais je suis désolé.

Bobby

Tu l'ignores? Sérieux?

Ti-Guy

Quoi? Est-ce que j'ai été méchant avec toi?
Je t'ai fait de la peine?

Bobby

Pire encore! Tu me laisses complètement de côté depuis que tu sors avec Corinne! Tu passes ton temps avec elle.

Ti-Guy

On ne sort pas ensemble!

Bobby

Pourquoi tu me gardes à l'écart, dans ce cas? Je peux t'aider, moi aussi, dans ton super projet!

Ti-Guy relit ses messages et comprend que Bobby est **JALOUX** de son **amitié** avec Corinne. Et à bien y penser, il a peut-être **raison.** C'est vrai qu'il a été moins présent ces derniers jours.

Il a préféré écouter
les conseils de Corinne,
alors qu'il aurait très bien
pu profiter de leurs **FORCES**
à tous les deux. Désireux
de se racheter, Ti-Guy
se penche sur la liste
des tâches à accomplir,
à la recherche de celle
qui conviendrait le mieux
à son ami.

— **J'AI TROUVÉ !**

Ti-Guy

Tu as raison, Bobby.
Je me suis comporté en idiot et je m'en excuse.
J'ai une mission super importante à te confier.
Ça t'intéresse?

Bobby

Pour vrai? Laisse-moi y réfléchir…

Bobby

Je suis encore très fâché, tu sais.

Bobby

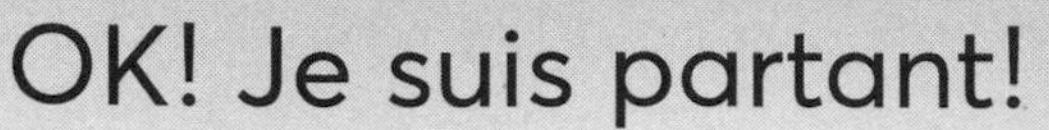

OK! Je suis partant! 

Ti-Guy

Je te nomme responsable des mascottes. C'est toi qui vas les préparer pour la journée de samedi prochain. Rassemble-les et aide-les à mettre au point un numéro d'ouverture.

Bobby

 Wow!
Vraiment cool!
Lesquelles aimerais-tu avoir? Longues-Dents?
Le Big Ben de Kass Bauer?

Ti-Guy

Je les veux TOUTES! Même la mascotte des Golden Girls! Plus elles seront nombreuses, plus l'ambiance sera bonne!

Ti-Guy

Merci! On se voit demain au match?

Ti-Guy éteint son iPod et le dépose sur son lit, **heureux** de s'être réconcilié avec son ami.

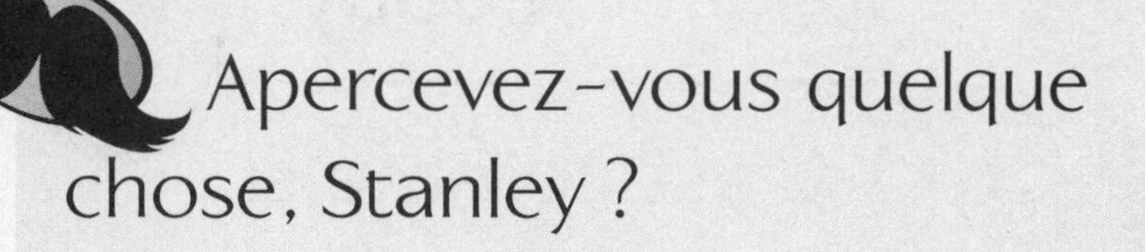

Oh que oui, Maurice ! Il semblerait que nos sources soient fiables. Ti-Guy La Puck et Corinne Big-Mac-David sont **AMOUREUX !**

Vous croyez ? D'après ce que je vois, ils sont seulement assis côte à côte.

Oui, mais leurs bras se sont touchés, tout à l'heure. **Ça veut tout dire!** J'ai hâte de découvrir comment cette **relation** naissante va évoluer.

On promet de **surveiller** ça pour vous, chers téléspectateurs. Mais en attendant, on doit vous quitter. Revenez-nous demain pour la **couverture complète** du **MATCH** entre les **Vipères** et les **Castors**.

Un jour de match
plutôt mouvementé
CHAPITRE
06

Biiiiip!
Biiiiiip!
Biiiiip!
Biiiiip!

Le lendemain matin, Ti-Guy se réveille avec quelques minutes de retard sur son horaire. Il était si **absorbé** par les préparatifs de son **super événement** qu'il en a presque oublié sa partie contre les **Vipères** ! Comme chaque dimanche, il doit suivre sa **ROUTINE** d'avant-match à la lettre.

Routine du capitaine

À respecter dans les moindres détails.

* Lever à 8 heures tapantes

* Déjeuner :
  1 rôtie au beurre d'arachide
  1 yogourt grec
  1 banane
  3 raisins coupés en quatre
  1 verre de jus d'orange avec une pincée de sel

* Préparation physique :
  15 minutes d'étirements
  15 minutes de cardio
  15 minutes de yoga
  15 minutes de tirs au but dans le garage

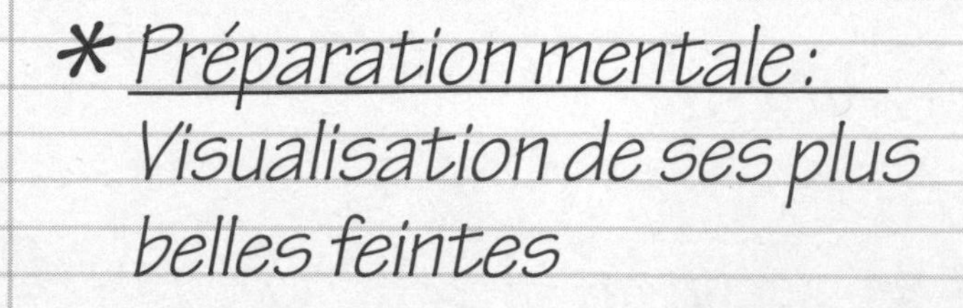

* <u>Préparation mentale :</u> Visualisation de ses plus belles feintes

* <u>Ensuite, dans l'ordre ou dans le désordre</u> : aiguiser ses patins, changer le ruban de son bâton, vérifier que son casque est en bon état, assouplir ses gants avec de la vapeur à la lavande et appliquer du jus de cornichon sur ses jambes.

Le problème, c'est que Ti-Guy a **VRAIMENT** la tête ailleurs, ce matin. Alors, **TOUT** va de travers :

- Il sort du lit huit minutes plus tard qu'à son habitude.

(Huit minutes ! C'est la catastrophe !)

- Il oublie de manger ses trois raisins.

(Comment est-ce possible ?)

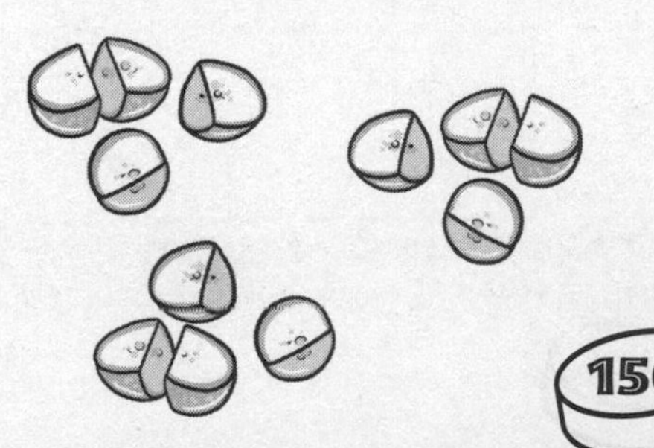

- Il rate **TOUS** ses tirs au but lorsqu'il s'exerce dans le garage.

(Mais qu'est-ce qui lui arrive?)

- Il assouplit ses gants avec du jus de cornichon et applique de la lavande sur ses jambes.

(Oh, oh!)

Lorsqu'il arrive **ENFIN** à l'aréna, ses coéquipiers l'accueillent avec soulagement.

— **Te voilà,** Ti-Guy ! s'écrie Bobby Zamboni en levant les bras dans les airs. Où étais-tu ?

— Je suis un peu à la dernière minute, désolé, s'excuse le capitaine après avoir déposé son sac au sol.

— Dépêche-toi de te changer, lui dit Marc Aubut d'un ton nerveux. La partie va bientôt commencer ! On a même fait la danse de la victoire **SANS TOI**, tu imagines ? Qu'est-ce qui t'est arrivé ? On t'a envoyé des **tonnes** de messages ! Ton père a fait une crevaison ? Tes sœurs ont caché ton équipement ? Ton chien a mangé tes patins ?

— Je n'ai pas de chien, Marc, fait Ti-Guy en enfilant son survêtement.

— **Ah oui,** c'est vrai.

— En tout cas, j'espère que vous êtes en forme parce que la partie risque d'être **RUDE,** annonce Bobby en frottant son pantalon avec la manche de son chandail d'un geste NERVEUX. J'ai croisé les joueurs

des **Vipères**, tout à l'heure, et ils sont vraiment en **COLÈRE** contre nous. Ils nous traitent de **TRICHEURS.**

— Comment ça, de tricheurs ? demande le capitaine, étonné par cette accusation.

— À cause du tournoi. Ils disent que c'est **malhonnête** de notre part de nous associer aux **GOLDEN GIRLS**. Selon eux, on devrait se contenter de notre équipe actuelle et laisser ces « FILLES SANS TALENT » se débrouiller toutes seules.

— **Oui, eh bien,** ces « FILLES SANS TALENT » sont meilleures que la moitié d'entre eux ! rétorque Vincent. En plus, c'est le **MAIRE** en personne qui les a invitées à se joindre à nous.

Le garçon se penche pour ramasser les nombreux objets qu'il a fait tomber au sol pendant qu'il finissait de s'habiller (un gant, une gourde et du ruban) et continue sur sa lancée, visiblement de **mauvaise humeur** :

— Vous pensez que les **Vipères** vont **TOUT FAIRE** pour nous mettre des bâtons dans les roues ? Euh... **dans les patins**, je veux dire ?

— Ça se pourrait, admet Ti-Guy en enfilant ses épaulettes. Gardons l'œil ouvert, d'accord ?

— **Ben là !** se plaint Marc. Les arbitres servent à ça, non ? Et les entraîneurs aussi. Je croyais que les joueurs avaient reçu un **avertissement** et qu'ils devaient se tenir TRANQUILLES. Je refuse d'aller sur la glace si ma sécurité est **compromise !**

Ti-Guy comprend l'inquiétude de son ami. Les **Vipères** leur en ont fait voir de toutes les couleurs avant que l'arrivée d'un nouvel arbitre vienne changer la donne. Leur tête est remplie de **SOUVENIRS DOULOUREUX.**

— Ça va bien se passer, assure le capitaine. Inutile de paniquer.

— **Au contraire !** s'exclame Yvon Gagné en poussant la porte du vestiaire. On a **toutes les raisons** de paniquer !

L'entraîneur entre en **TROMBE** et se frotte la moustache d'un geste nerveux. Devant lui, les joueurs sont PÉTRIFIÉS. Ti-Guy se demande ce qu'il y a de si terrible pour qu'Yvon se mette dans cet état.

— Attachez bien votre casque **parce que ça risque de brasser !**
PAROLE DE COACH !

Une guerre en précède une autre

Nous voici réunis en ce beau dimanche pour un affrontement entre les **Vipères** et les **Castors**!

Bella Diva nous a encore une fois livré une merveilleuse interprétation de **L'HYMNE** de Bâton-sur-Glace.

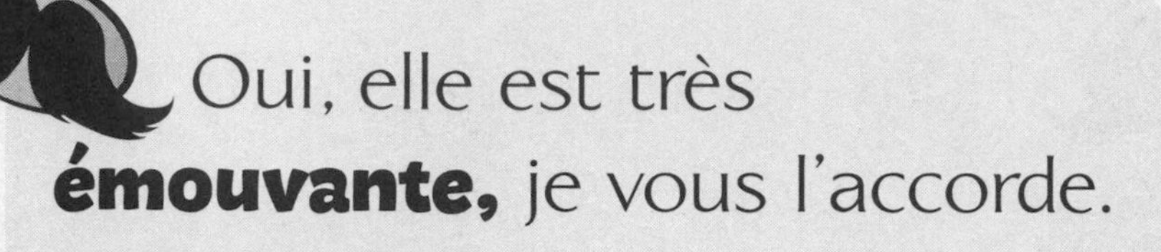

La partie va bientôt commencer, mesdames et messieurs. Oh! **Voyez-vous** la même chose que moi, Maurice ? Ti-Guy La Puck s'approche des arbitres.

Hum, je me demande de quoi il est question ici. **Attendez,** on me donne plus d'informations à l'oreille. OK. On vient de me dire que l'issue du match d'aujourd'hui aura un **IMPACT DIRECT** sur le **GRAND TOURNOI INTERNATIONAL DE BÂTON-SUR-GLACE** qui aura lieu sous peu.

En effet! Puisque notre ville est **l'hôtesse** de ce merveilleux événement, on offre aux gagnants un **LAISSEZ-PASSER** qui leur permettra d'accéder **directement** aux huitièmes de finales.

Purée de rondelle! C'est tout un **privilège!** Les joueurs auront **deux parties** en moins à jouer. Ils pourront se **reposer** pendant que les autres devront se **battre** pour garder leur place au tableau.

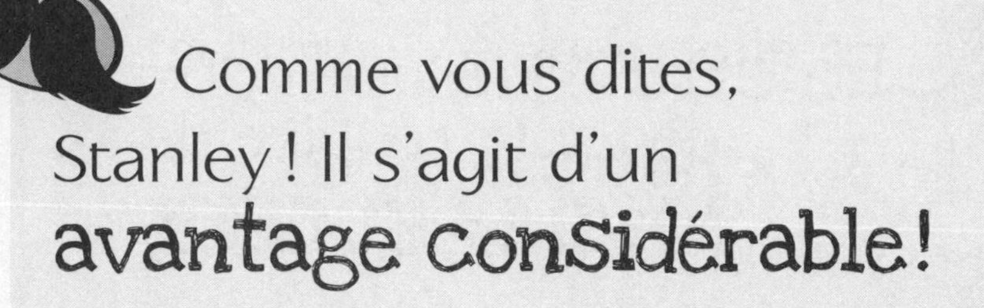

Une pression **ÉNORME** pèse sur les deux équipes ! Les joueurs vont **TOUT DONNER** pour remporter cet **affrontement** !

Je crois que nous aurons droit à une partie **passionnante** !

En effet, Maurice. Au nom de toute l'équipe de **MISSION HOCKEY,** je vous souhaite un **excellent match,** mesdames et messieurs !

Ti-Guy prend position au cercle des **mises en jeu,** pose son bâton sur la **glace** et attend le début de la partie.

IL EST PRÊT.

Les officiels ont promis d'ouvrir l'œil et de surveiller les Vipères, alors il oublie sa matinée DÉSASTREUSE ainsi que l'organisation de son événement de samedi prochain et se concentre sur **l'affrontement.**

Devant lui, Rocky Labrute le regarde avec ses yeux noirs, un sourire MESQUIN au coin des lèvres.

Qu'est-ce qu'il y a, Ti-Guy ? Je te fais peur ?

Pas du tout !

Pourquoi tu es allé te plaindre aux arbitres, dans ce cas ?

Je ne suis pas allé me plaindre, comme tu dis. Je souhaite juste jouer au hockey.

Oui, eh bien, fais attention ! Les Vipères vont remporter la coupe du Grand tournoi, que tu le veuilles ou non. Et ça commence par la partie d'aujourd'hui !

Ti-Guy ouvre la bouche pour répliquer, mais change aussitôt d'idée. Est-ce que ça vaut vraiment la peine d'argumenter avec un garçon tel que Rocky Labrute ? Il est persuadé que **non.**

L'arbitre laisse enfin tomber la rondelle.

La mise est gagnée par **Ti-Guy**, qui passe immédiatement à **Sombrero Burrito**. **Burrito** prend bien son temps. Il lève la tête, **cherche** des options, mais ses joueurs sont bien surveillés. Je dirais même qu'ils se font **bousculer.** Finalement, **Burrito relègue** le disque à **Vincent Laflèche**, qui l'attrape et **décolle** au quart de tour. Mais le garçon

trébuche sur son lacet et fait un **long vol plané...**

Oh! Lavoie-Ferré s'empare de la rondelle libre! Il file comme un train à grande vitesse! **WOW!** Le voilà qui contourne La Puck, lui donne un bon **coup de coude,**

longe la bande et passe à son coéquipier... qui avait déjà franchi la ligne bleue, malheureusement.

L'arbitre siffle le **hors-jeu,** et les entraîneurs en profitent pour effectuer des **changements.**

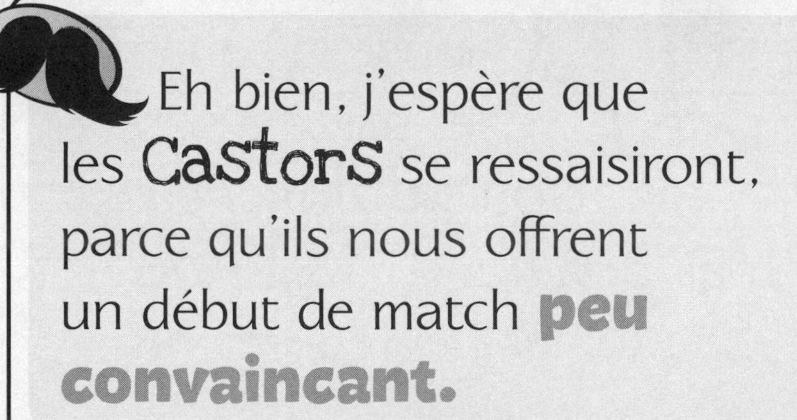

Contrairement aux **Vipères**, qui semblent au **MEILLEUR** de leur forme. Je parie qu'ils l'emporteront **haut la main.**

Vous ne devriez pas **prendre parti**, mon ami. En tant **QU'ANALYSTES**, nous sommes tenus de demeurer neutres, ça fait partie de notre **contrat.**

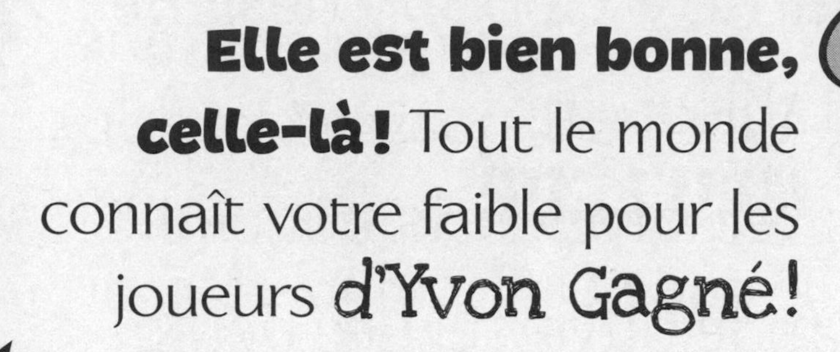

Et le vôtre pour les rustres de Franck L'Affreux!

Ah! Vous croyez? Sachez que... **oh...**

Quoi? Qu'est-ce qu'il y a?

Stanley Crosby désigne le tableau indicateur, les yeux ronds, la bouche grande ouverte. Les deux analystes étaient tellement occupés à se disputer qu'ils ont complètement oublié de suivre la partie. Le pointage est maintenant de DEUX à DEUX. Les Castors évoluent en **avantage numérique.**

Purée de rondelle, Maurice ! Je crois qu'on s'est laissé emporter !

Je suis bien d'accord, Stanley. Veuillez nous **pardonner,** chers téléspectateurs. Ce n'était pas très **PROFESSIONNEL** de notre part.

Sur la glace, la partie se poursuit. Les **Castors** et les **Vipères** se livrent une **LUTTE ACHARNÉE!** Malheureusement, les craintes d'Yvon Gagné étaient fondées: les adversaires des **Castors** multiplient les **coups** et les **insultes.** Les arbitres ont beau sévir, les **Vipères** mettent tout en œuvre pour remporter la joute, **QUE CE SOIT LÉGAL OU NON.**

Ainsi, Ti-Guy reçoit un **coup de bâton** sur les doigts,

Deux minutes de punition pour Rémi Montminy-Rikiki !

Kass Bauer est **bousculé** dans le fond de son but,

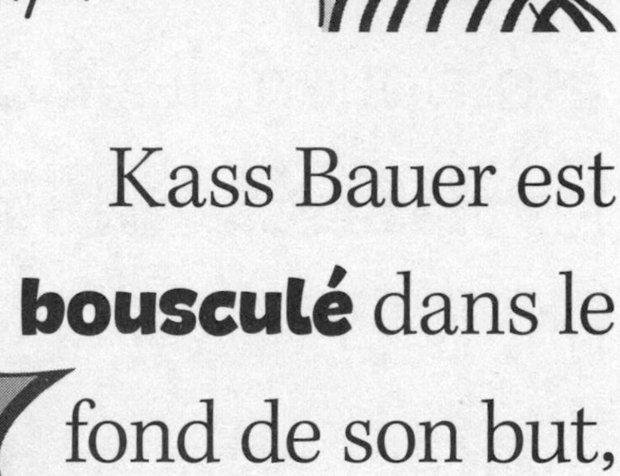

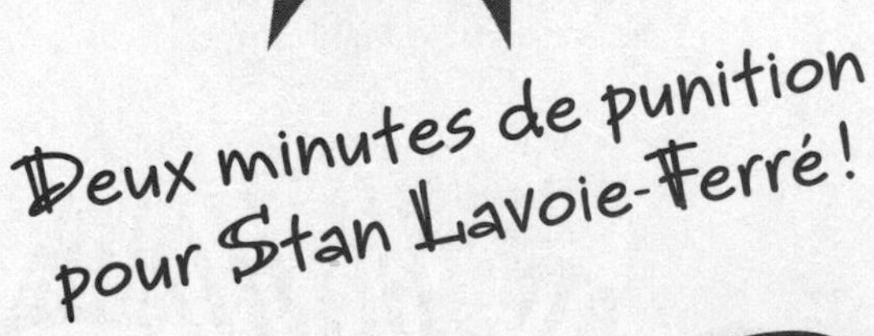

Hugo se fait solidement **plaquer** dans le coin de la bande,

et Lance A. Côté se fait **expulser** du match pour comportement antisportif.

Malgré **L'INTENSITÉ**
de la confrontation,
les **Castors** tiennent bon
et finissent par **gagner**
en tirs de barrage.

STATISTIQUES

CASTORS VS VIPÈRES		
Buts marqués en temps réglementaire	5	1
Pointage final	6	5
Tours du chapeau	1 Hugo Letour-Duchapeau	0
Nombre d'insultes proférées sur la glace	8	72
Coups de bâton donnés à l'insu des arbitres	0	11
Entraîneur le plus fier	Yvon Gagné	----

Ti-Guy est épuisé,
mais **VRAIMENT** content
du travail de ses coéquipiers.
Cette victoire prouve aux
Vipères que les insultes
et les comportements
répréhensibles ne sont
pas gagnants, à la longue !
Mais surtout (et c'est ce qui
est **LE PLUS IMPORTANT !**),
cela leur assure une bonne
position de départ lors du
GRAND TOURNOI INTERNATIONAL
DE BÂTON-SUR-GLACE !

CONTRAT OFFICIEL

GRAND TOURNOI INTERNATIONAL DE BÂTON-SUR-GLACE

Ce document atteste que *les Castors* ont remporté l'affrontement et donc, par le fait même, obtenu un laissez-passer pour les huitièmes de finales du tournoi. Ayant perdu la partie, *les Vipères* devront participer à toutes les rondes d'élimination.

Signatures

Yvon G. — Yvon Gagné

Frank — Franck L'Affreux

Maintenant que cette **bataille** est terminée, reste à mener... **LA GUERRE DES NUMÉROS!**

C'est tout un tir !

CHAPITRE 08

C'est le grand jour ! Enfin !

Ti-Guy et Corinne sont FÉBRILES. Ils ont travaillé tellement fort au cours de la semaine précédente qu'ils ont **hâte** que l'événement commence. L'aréna est encore désert à cette heure-ci, alors ils décident de patiner un peu en attendant que leurs camarades arrivent.

— Qui va remporter la compétition, tu crois ? demande Corinne.

— Aucune idée, répond Ti-Guy en haussant les épaules. Nos deux équipes comptent **d'excellents** joueurs. Ça risque d'être très serré.

— Je suis d'accord avec toi. Pour être honnête, j'ai peur que cette **RIVALITÉ**

nous **divise** au lieu de
nous **rassembler.**
J'espère que tout le monde
saura garder son CALME.
J'aimerais qu'on passe
une belle journée.

— **Oui, moi aussi.**

Les deux amis font
quelques tours de glace,
tout en continuant à discuter.
Ti-Guy partage les **craintes**
de Corinne. Il était très
content de son idée,
au départ, mais maintenant
que la **confrontation**
est sur le point de
commencer, il éprouve
certains **doutes.**
L'ENJEU EST GRAND...
ÉNORME, MÊME !

Au bout d'un moment, Ti-Guy remarque un **papier** collé dans un coin de la baie vitrée. Il s'arrête et constate que son **NOM** est écrit dessus.

— Qu'est-ce que c'est ? demande Corinne en approchant.

— **Aucune idée...**

Ti-Guy détache le feuillet en prenant garde de le conserver **INTACT** et le **déplie** afin de lire le **mot** qu'il contient.

Attention!

Ceci est un message de la plus haute importance. Un tricheur est parmi vous. Je répète : un tricheur est parmi vous!

Ouvrez les yeux.

L'individu en question fera tout pour trafiquer les résultats. Bonne chance!

— Qu'est-ce que ça signifie ? marmonne Ti-Guy, INQUIET. Tu crois que c'est **sérieux ?**

— J'en doute, répond Corinne, sans quitter le papier des yeux.

— Comment ça ?

— S'il y avait VRAIMENT un **TRICHEUR** parmi nous, argumente la jeune fille, et SI le messager anonyme voulait nous transmettre

l'info, il nous aurait dit de qui il s'agissait au lieu de faire un tel **MYSTÈRE.** Ça aurait été bien plus simple, non ?

— Ah oui… Peut-être…

— Ça ressemble à une **mauvaise blague.** En plus, nos entraîneurs sont finalement là pour superviser la journée, alors je suis loin d'être inquiète.

— J'imagine que tu as raison.

Ti-Guy lève les yeux
en direction de la passerelle
et salue **Gaétan D'Arrêt**
ainsi qu'**Yvon Gagné**
d'un mouvement de la main.

Le capitaine est content qu'ils aient décidé de participer, en fin de compte. Leur présence est RÉCONFORTANTE : ce sont eux qui feront office de JUGES pendant toute la durée de l'événement. Ils ont même rencontré les joueurs personnellement pour s'assurer qu'ils ne contesteraient pas la décision finale et qu'ils accepteraient de céder leur numéro en cas de **défaite.**

Un peu plus loin dans les estrades, Ti-Guy aperçoit Bobby Zamboni en compagnie du reste de l'équipe. Fidèle à ses habitudes, le garçon veille à ce que **l'ordre** et la **propreté** règnent.

Il frotte les gros yeux des mascottes à l'aide d'un chiffon.

Il promène un petit aspirateur sur leurs poils défraîchis.

Il vaporise de l'eau parfumée sous leurs bras pour leur éviter de sentir mauvais.

Ti-Guy hoche le menton, rassuré de voir son ami prendre son rôle au sérieux. Les manies de Bobby sont peut-être exaspérantes pour la plupart des gens, mais elles sont très sécurisantes pour Ti-Guy. Cela signifie que le garçon a la situation **bien en main** !

Ti-Guy

Merci, Bobby! Tu es génial! 

Bobby

Ça me fait plaisir!

Bobby

Dis, il commence à y avoir pas mal de monde, hein? Ça faisait même la file à l'extérieur pour entrer, quand je suis arrivé! Toute la ville parle de ton événement!

Ti-Guy

Tant mieux! Il va y avoir toute une ambiance!

Bobby

Ouais… Sauf si les joueurs des Vipères décident de se présenter. J'ai entendu dire qu'ils envisageaient de venir faire un tour.

Ti-Guy

Ah oui? Pourquoi?

Bobby

Aucune idée.

Ti-Guy

Bah! Ne fais pas attention à eux. Continue ton excellent travail! On se voit plus tard.

— **Viens,** lance Corinne en donnant un coup de coude à Ti-Guy. Les joueurs sont arrivés. Il est temps d'aller leur parler.

Ti-Guy tourne la tête et constate qu'en effet leurs **SIX** coéquipiers sont en train de **s'échauffer** sur la patinoire.

— **APPROCHEZ-VOUS !** crie Ti-Guy, un peu NERVEUX. **C'est bon ?** Tout le monde est là ? **Parfait !** J'espère que vous êtes en forme, parce que la journée risque d'être chargée.

— **OK,** mais dis-moi, pourquoi il y a autant de gens dans les estrades ? se plaint Marc Aubut en pointant la foule de plus en plus bruyante. J'aurais aimé le savoir, moi, que les amis et les familles étaient invités.

C'est beaucoup plus
stressant! Même les
mascottes sont là! **Regarde!**
Elles sont en train de danser!
Tout le monde les applaudit!
Qu'est-ce qui nous attend,
au juste? C'est quoi,
cette journée d'épreuves?
Pourquoi les entraîneurs
sont assis tout en haut?
J'espère ne pas me ridiculiser
devant un tel public.
Je... Oh, je suis un peu
ÉTOURDI, tout à coup.

— Cesse de t'inquiéter, lui dit Max d'un ton réconfortant. Je t'ai pourtant expliqué qu'il y aurait des spectateurs, c'était écrit sur le carton d'invitation. **Tout va bien aller,** mon petit chatounet.

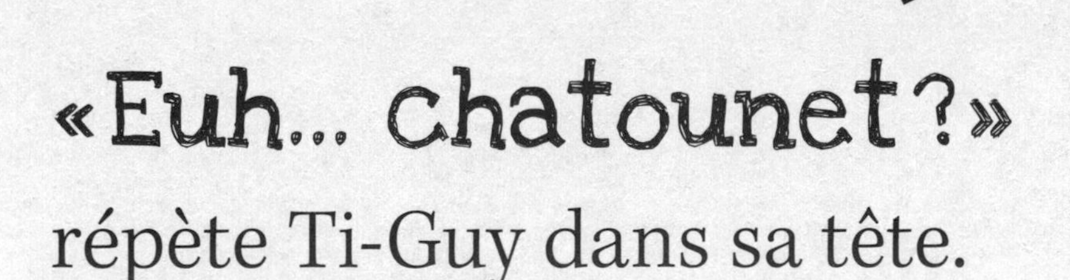

«Euh... chatounet?» répète Ti-Guy dans sa tête.

Le capitaine relève les sourcils et pince les lèvres pour ne pas éclater de rire. On peut dire que Max a trouvé un surnom qui **détonne** avec le caractère de son amoureux !

— Oui, c'est vrai que ça va bien aller, réplique Corinne d'un ton sérieux. Mais tu es ici pour te dépasser, Marc. **TU DEVRAIS TE RESSAISIR !**

— **OK, OK,** marmonne le défenseur, étonné de se faire parler ainsi. Commençons, dans ce cas.

— Super !

Corinne se tourne vers Stanley Crosby et Maurice Cendispourcent, qui sont assis sur le banc des joueurs, et lève un pouce dans leur direction.

Munis d'une **caméra** et d'un **micro**, les deux hommes se préparent à couvrir l'événement en **DIRECT.** En plus d'être entendus à la télévision, leurs commentaires sont **retransmis** **simultanément** dans les estrades afin que les partisans aient droit à **TOUS LES DÉTAILS.**

REC
Nous sommes présentement EN DIRECT de l'aréna de Bâton-sur-Glace, mesdames et messieurs. Une foule enthousiaste est réunie aujourd'hui pour assister à une compétition inédite !

Parlez un peu plus **FORT,** Stanley. J'ai de la difficulté à vous entendre tellement c'est **bruyant,** par ici ! Les habitants se sont déplacés en **grand nombre,** c'est le moins qu'on puisse dire !

C'est vrai qu'il règne toute une **AMBIANCE !** J'aperçois **Longues-Dents** qui danse avec les autres mascottes. Il y a longtemps que j'avais vu un **castor,** un **avocat,** un **panda,** une **horloge** et une **boulette de viande** s'animer en même temps.

Oui, c'est un spectacle assez divertissant, en effet. Golden Star, l'étoile filante des GOLDEN GIRLS, est venue encourager ses joueuses, elle aussi.

Je crois que l'événement est sur le point de commencer. Voyons ce que **Ti-Guy** et **Corinne** ont préparé.

La caméra se dirige vers le **grand tableau indicateur** afin que les partisans puissent connaître les détails de la **première épreuve.**

ÉPREUVE 1

Lancer frappé

DIRECTIVES

Au coup de sifflet, le joueur doit patiner jusqu'à la ligne bleue, avancer avec la rondelle, prendre son élan et exécuter son lancer frappé le plus puissant. Le capteur déterminera la vitesse de chacun des tirs afin de lui attribuer un pointage.

20 POINTS	Wow! C'est digne de la LMHG!
15 POINTS	Excellent!
10 POINTS	Pas mal du tout.
5 POINTS	OK... On ne battra pas de record avec ça.
0 POINT	Ouf, ce tir est complètement raté!

Les joueurs sont NERVEUX, mais **prêts.** Corinne dépose une rondelle dans le cercle des mises en jeu et recule pour laisser la place à D.J. Sous-Band, qui sera la première à s'exécuter. La défenseure enlève un gant et appuie sur le bouton de son iPod pour démarrer sa **MUSIQUE.** Au son du sifflet, elle s'élance en direction de la ligne bleue.

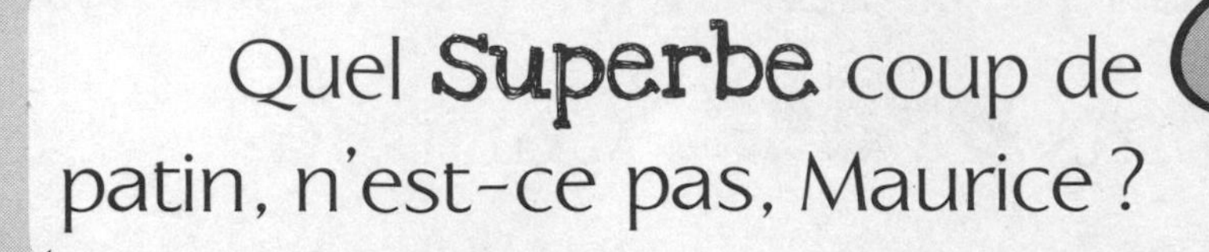

Quel **Superbe** coup de patin, n'est-ce pas, Maurice ?

En effet, mon cher ami. C'est de toute **beauté !** On dirait que **D.J.** danse au **rythme** de la mélodie. Je me demande ce qu'elle écoute. Ça semble **l'inspirer**.

La voilà qui prend son élan. **Attention... Oh!** C'est vraiment très bien ! Je crois qu'elle parviendra à récolter **plusieurs points** pour son équipe.

DJ
10 POINTS
Pas mal du tout.
Le capteur lui accorde une note de **dix.** Voyons si le prochain joueur sera capable de faire **mieux.**

Corinne va chercher
la rondelle et la replace
au centre de la patinoire.
C'est au tour d'Otto Graff
de démontrer sa **FORCE.**
Le garçon prend position,
attend le **Signal** et
décoche un bon tir.
En observant le résultat
apparaître au tableau,
la foule applaudit avec
enthousiasme ! Otto Graff
a **égalisé la marque**
de D.J. Sous-Band !

La compétition vient à peine de commencer, et c'est déjà **très serré !**

Marc est le prochain à passer, suivi de Max. Les amoureux parviennent à **BATTRE** les **deux premiers participants** en obtenant chacun une note de **QUINZE.** Encore une fois, le public est en délire.

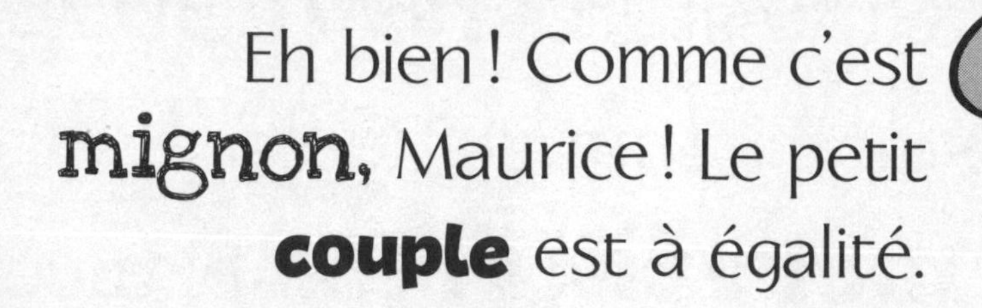

Oui, c'est vraiment adorable ! **Quel score !**

En effet, mais ouvrez bien les yeux parce que **le meilleur** reste à venir. Je suis **impatient** d'assister à la performance de Shea Butter.

Ti-Guy est très **heureux**. Jusqu'ici, tout se déroule **à merveille.** L'ambiance est bonne, les spectateurs semblent avoir du plaisir et Corinne dirige cette épreuve d'une main de maître. Lorsque Shea Butter se met en position, le capitaine retient son souffle. À ce qu'il paraît, cette fille a le **tir frappé LE PLUS PUISSANT** de la région !

La voilà qui se prépare... Elle attend le coup de sifflet et avance doucement en direction du disque. Elle le pousse du bout du bâton, prend un peu de vitesse et... la foule est plus silencieuse que jamais... **Purée de rondelle !**

— **Nom d'un jack-strap !** s'exclame Ti-Guy, les yeux écarquillés. Je n'ai JAMAIS vu ça de **TOUTE MA VIE !**

Complètement raté ou parfaitement réussi ?

Ti-Guy est **STUPÉFAIT !**
Non seulement Shea Butter a réussi son tir, mais elle a aussi **PERCÉ LE FILET** et **FRACASSÉ LA BAIE VITRÉE** qui se trouve derrière le but ! Qui aurait cru cela possible ?

Dans les estrades,
c'est le SILENCE complet.
Les spectateurs sont **sous le choc.** Les mascottes également. Même Stanley Crosby et Maurice Cendispourcent cherchent les mots pour décrire ce qu'ils ont vu. Ils se regardent avec de grands yeux,
l'air de se demander si
c'est une blague. Puis,
le résultat apparaît
au tableau indicateur.

Fière de son exploit,
Shea retourne auprès de
ses coéquipiers, sous les cris
et les **APPLAUDISSEMENTS**
de la foule.

Bravo, Shea !

Tu es la meilleure !

Vive les GOLDEN GIRLS !

On t'aime !

Corinne s'empresse de **féliciter** son amie, suivie de près par Ti-Guy. Ce dernier aurait bien envie de demander un autographe à la jeune prodige, mais il est trop intimidé. C'est la première fois qu'il assiste à un tel **EXPLOIT !** Shea les remercie humblement et se dirige vers le banc des joueurs pour prendre une gorgée d'eau.

Pendant que le personnel s'empresse de nettoyer la glace et de remplacer la baie vitrée, les mascottes s'en donnent à cœur joie pour **divertir** les spectateurs. Longues-Dents invente une chorégraphie

avec un groupe d'enfants, la boulette de viande dégringole les marches en roulant sur elle-même, et l'étoile des **GOLDEN GIRLS** lance des confettis sur la tête des gens.

L'ambiance est à la fête!

Sur la patinoire, toutefois, Hugo commence à montrer des signes de nervosité.

— C'est mon tour, marmonne-t-il d'une voix TREMBLOTANTE. Comment je vais y arriver ? J'ai du mal avec les tirs frappés, moi. C'est **IMPOSSIBLE** de rivaliser avec le boulet de canon de Shea Butter...

— Personne ne te demande de rivaliser avec elle, lui assure Ti-Guy. Fais de ton mieux, c'est tout.

Ti-Guy pose une main sur l'épaule de son ami pour lui exprimer son soutien.

Nous sommes **PRÊTS** à reprendre les activités, mesdames et messieurs. Le dernier participant à cette épreuve est Hugo Letour-Duchapeau, le joueur le plus **courageux** que je connaisse !

Le plus courageux ? Qu'est-ce que vous racontez, Maurice ?

Il y a quelques semaines, ce jeune garçon a **troqué** son équipement de gardien pour **évoluer** à **L'ATTAQUE** afin d'aider ses coéquipiers. Si ce n'est pas de la **bravoure,** je me demande ce que c'est !

Oui, bon, je suis **d'accord**. Voyons ce qu'il parviendra à faire dans cette épreuve. **Attention,** le coup de sifflet est donné. Hugo patine en direction de la ligne bleue. **OUF...** Il est peut-être

Courageux, mais sa technique de glisse est **loin d'être efficace,** c'est moi qui vous le dis !

Allez, mon bonhomme !

Oups! Il a oublié le disque. Le voilà qui fait demi-tour. Il recommence, **avance** vers le but, **prend** son élan et...

aïe, aïe, aïe...

c'est **complètement raté !**

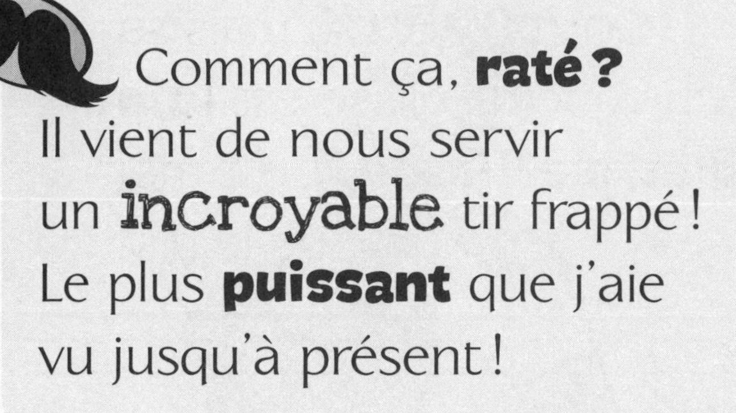

Vous vous moquez de moi ?
La rondelle a glissé
faiblement jusqu'au fond
du filet. C'était **TOUT**
sauf réussi, si vous voulez
mon avis.

Hugo semble DÉSEMPARÉ. Il se relève et patine avec peine vers son capitaine.

— Je me suis **RIDICULISÉ** devant tout le monde, murmure-t-il, penaud.

Je suis désolé, Ti-Guy. J'essayais de prendre appui sur ma jambe la plus forte pour obtenir un meilleur élan, mais mon pied a glissé et ensuite, j'ignore ce qui s'est passé. Je me suis retrouvé sur les **fesses,** le casque de travers.

— Tu t'es très bien débrouillé...

Mais le ton du capitaine est **peu convaincant.** Les deux garçons lèvent les yeux vers le tableau indicateur et cessent de respirer, le temps que le verdict soit connu.

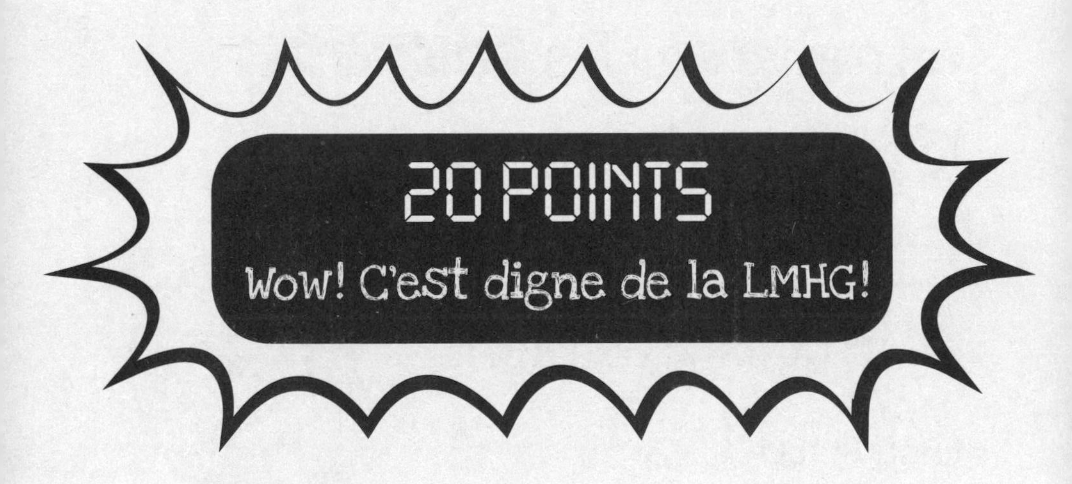

— **QUOI ?** s'écrient-ils d'une même voix.

Il faut toujours faire confiance au capteur

Hugo et Ti-Guy sont **bouche bée.** Le pointage disparaît du tableau indicateur et laisse place au **bilan** de la **première épreuve.**

LANCER FRAPPÉ

CASTORS

Otto Graff	10 POINTS
Marc Aubut	15 POINTS
Hugo Letour-Duchapeau	20 POINTS
TOTAL »	45 POINTS

GOLDEN GIRLS

D.J. Sous-Band	10 POINTS
Max Passe-Parissy	15 POINTS
Shea Butter	20 POINTS
TOTAL »	45 POINTS

Dans la foule, les MURMURES s'intensifient. Puis, la **COLÈRE** monte, et les partisans des **GOLDEN GIRLS** se mettent à hurler de toutes leurs **forces.**

Ti-Guy se sent de plus
en plus **mal à l'aise**.
Il ne sait que penser
de la situation. Se pourrait-il
qu'Hugo ait lancé **SI FORT**
que tout le monde ait
perdu la rondelle des yeux ?
Hum... C'est possible,
mais peu probable...

Que s'est-il passé, sinon ?
Le capitaine songe
au **message** qu'il a reçu
avant que la compétition
commence. Un court texte
qui le mettait en garde
contre un éventuel tricheur…
Oui, c'est sûrement ça…
Un **ODIEUX** personnage
se cache parmi eux.

Ti-Guy patine en direction
de Corinne et grogne ces
quelques mots :

— C'est qui d'entre eux, à ton avis ?

— **QUI QUOI ?**

— **Le tricheur**, ajoute-t-il en tournant la tête à droite et à gauche, à la recherche d'un **coupable.** Qui ça peut bien être ? Un parent ? Un professeur ? Un joueur des **Vipères** ? Pourquoi pas une de tes filles ? Je suis convaincu

que les **GOLDEN GIRLS** seraient prêtes à tout pour remporter la compétition.

— **WÔ!** Qu'est-ce qui te prend, Ti-Guy ? s'indigne Corinne. Es-tu vraiment en train de traiter mes amies de **menteuses ?**

— **HEIN ? QUOI ?**

Ti-Guy réalise la **gravité** de ses accusations et s'empresse de s'excuser.

— Oh, je suis **désolé.** Je raconte n'importe quoi.

— **EN EFFET!** réplique la jeune fille, de mauvaise humeur. On doit se faire **confiance**, si on veut que la journée soit un succès.

— Tu as entièrement raison. Mais quelqu'un s'est amusé à **trafiquer** la première épreuve, et je compte bien trouver de qui il s'agit.

Le capitaine balaie
les estrades des yeux,
à la recherche d'un **indice,**
n'importe lequel, qui lui
permettrait de comprendre
ce qui s'est passé.

— Tu crois que ce sont
les mascottes ?
demande-t-il enfin.

— **BIEN SÛR QUE NON !**

— Pourtant, elles sont capables de **TOUT** pour parvenir à leurs fins. Elles nous l'ont déjà prouvé quand elles se sont révoltées, le savais-tu ?

— Oui, évidemment... La nouvelle s'est rendue jusqu'à **NEW ICE.** À mon avis, elles en ont tiré une leçon et ne sont pas près de recommencer.

Ti-Guy pousse un GRAND SOUPIR. Corinne a raison. Il a eu l'occasion de discuter avec Mella depuis la révolte des mascottes, et elle a avoué ses torts : elle aurait dû s'y prendre autrement pour se faire entendre. Tout cela fait maintenant partie du passé.

— Tu sais quoi ? On devrait écrire à nos entraîneurs, propose Corinne en toute sagesse.

— **Oui, bonne idée !**

Ti-Guy sort son iPod de sa poche et s'empresse d'envoyer un message à Yvon Gagné.

Ti-Guy

Que pensez-vous de la situation, Gaétan et vous? Qu'est-ce qu'on doit faire?

Yvon

Rien du tout. Le capteur est formel: Hugo a obtenu une note parfaite.

Ti-Guy

Oui, mais le résultat est truqué, c'est évident. La rondelle s'est à peine rendue au fond du filet!

Yvon

Qu'est-ce que tu racontes? Elle était si rapide qu'il était presque impossible de la suivre à l'œil nu.

Ti-Guy

Ah… D'accord, si vous le dites…

Yvon

Ce n'est pas moi qui le dis, c'est le capteur. On peut toujours faire confiance au capteur. Tu devrais être content pour les Castors au lieu de te laisser influencer par les commentaires des spectateurs. Allez, il faut poursuivre l'activité. Les gens commencent à s'impatienter.

Ti-Guy jette un œil dans les estrades et comprend que son entraîneur a **raison**. L'affrontement doit continuer.

— *OK*. Rassemblons les joueurs pour leur expliquer la prochaine épreuve, annonce-t-il en croisant les doigts pour que cet incident soit le seul qu'il ait à gérer d'ici la fin de la journée.

Ti-Guy La Puck semble bien préoccupé par la **tournure** que prennent les événements. Qu'en dites-vous, Maurice ?

En effet, Stanley. Je crois que cette **AGITATION** l'a quelque peu *ébranlé.* Je ferais bien d'interroger quelques partisans. J'aimerais recueillir leurs commentaires sur cette petite **mésaventure.**

C'est une **excellente** idée, cher collègue. Je vous ferai signe dès que le **coup d'envoi** sera donné.

Maurice Cendispourcent disparaît dans la foule, tandis que son coéquipier dirige la caméra vers le tableau indicateur pour filmer les détails de **l'épreuve suivante.**

ÉPREUVE 2

Course à relais endiablée

DIRECTIVES

Au coup de sifflet, le premier joueur de chaque équipe devra s'emparer de la chambre à air et traîner ses amis d'un bout à l'autre de la patinoire. Ensuite, il driblera autour des cônes en gardant le contrôle de la rondelle, se laissera glisser à plat ventre sous une barre horizontale et rejoindra ses camarades le plus vite possible pour passer le relais au joueur suivant. Les gagnants obtiendront **20 points.** Les perdants se verront accorder **10 points** pour leur participation.

— OK. Placez-vous, maintenant, indique Corinne, une fois qu'elle s'est assurée que ses amis ont bien compris. Ce parcours nous permettra entre autres de tester votre **FORCE.** Donnez tout ce que vous avez !

— Le hasard a choisi Max et Marc pour passer les premiers, annonce Ti-Guy en consultant sa liste. Êtes-vous prêts ?

— **OH OUI, JE SUIS PRÊTE!** déclare Max Passe-Parissy. Vous allez voir que j'en ai, de la **FORCE!** Je suis ici pour gagner, alors **tenez-vous bien, les filles!**

La capitaine des **GOLDEN GIRLS** prend une gorgée d'eau et s'installe à la ligne de départ en passant autour de sa taille la corde reliée au pneumatique.

Elle ajuste ensuite son casque et fixe avec attention l’autre bout de la patinoire, l’air tout à fait **concentrée.**

J’ai **hâte** de voir comment les deux équipes vont se débrouiller. Selon moi, les **GOLDEN GIRLS** sont les **favorites** pour remporter cette épreuve.

Vous croyez ? À mon avis, les **Castors** sont bien **plus forts !**

C'est ce qu'on verra, mon ami.

Max Passe-Parissy et Marc Aubut sont installés à la **ligne de départ**.

Derrière eux, les autres joueurs prennent place sur les chambres à air. La foule éclate de rire en apercevant Hugo et Otto Graff se disputer un petit coin pour s'asseoir. Un patin par-ci, un coude par-là… C'est à coups de «Ouch!» et de «Pousse-toi un peu!» que les deux garçons parviennent finalement à se positionner.

À leur droite, les filles ont opté pour une **stratégie** différente. Shea Butter, étant la plus grande, a décidé de s'installer au fond et de prendre son amie sur ses genoux.

— Attention ! crie Ti-Guy en levant un bras. **ÊTES-VOUS PRÊTS ? C'EST PARTI !**

TRIIIIIII !

Les problèmes tombent du ciel !
CHAPITRE
11
MISSION HOCKEY

Le **coup de départ** est donné et les deux patineurs s'élancent au quart de tour. Stanley avait raison : les **GOLDEN GIRLS** prennent rapidement une confortable **avance.** Mais le pneumatique de Max Passe-Parissy est lourd : ses jambes commencent à se fatiguer.

Marc la rejoint à grandes enjambées, sous les encouragements de ses amis.

Dans les estrades, les cris et les **APPLAUDISSEMENTS** sont assourdissants. Ti-Guy et Corinne sont heureux de voir que la foule a retrouvé son *enthousiasme*. Ils surveillent l'action avec attention et patinent à côté des joueurs jusqu'à

la fin de la première étape pour s'assurer que les règles sont respectées.

Lorsqu'ils arrivent au bout de la surface glacée, Max et Marc sont à **égalité**. Ils délaissent leurs chambres à air et s'emparent de leur **bâton** respectif pour dribler autour des cônes avec une rondelle.

— **Tiens, tiens...** Qu'est-ce que je vois là ? marmonne Ti-Guy en plissant les paupières. Quelqu'un a vraiment laissé tomber sa casquette ?

Le capitaine des **Castors** avance en direction de l'objet et le ramasse, content que ses amis soient en mesure de poursuivre l'épreuve malgré ce petit **INCIDENT**.

Mais bientôt, ce sont des **tuques** et des **mitaines** qui atterrissent sur la glace. Marc suit sa trajectoire, mais Max doit faire quelques détours pour éviter de patiner sur les projectiles.

— Qu'est-ce que ça veut dire ? s'écrie-t-elle en ralentissant la cadence. **FAIS QUELQUE CHOSE,** Ti-Guy !

Le garçon lève les yeux
en direction des partisans.
Un peu plus haut, juste à
côté des marches, il aperçoit
un groupe d'enfants
qui sautillent et qui
applaudissent. SANS TUQUES,
SANS CASQUETTES ET
SANS MITAINES!

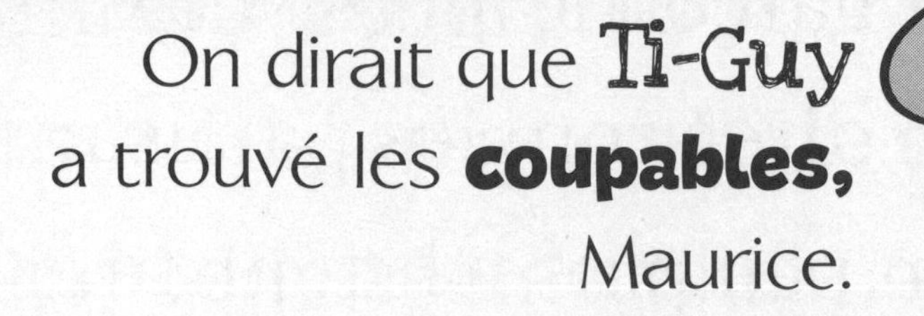

Oui, Stanley. Regardez **fuir** ces petits **Chenapans**! Ils savent qu'ils ont été repérés. Je crois qu'ils ne sont pas près de recommencer!

Malheureusement, ils ont eu tout le temps de **perturber** l'épreuve des **GOLDEN GIRLS.** J'espère que les organisateurs vont mettre un **TERME** au duel.

Ti-Guy fait signe à Corinne de **siffler,** mais la jeune fille n'en fait rien. Il semblerait que les **GOLDEN GIRLS** soient prêtes à **TOUT** pour prouver qu'elles sont les meilleures. Max termine son parcours tant bien que mal, tape dans la main de Shea Butter et rejoint D.J., qui l'attend déjà dans la chambre à air.

À son tour, Shea fournit le **maximum d'efforts**. Elle trébuche à plusieurs reprises, grogne un petit coup, se relève, et tombe à nouveau. Pendant ce temps, Ti-Guy et Corinne font de leur mieux pour nettoyer la glace le plus *vite* possible. Lorsque Shea passe enfin le relais à D.J., les **Castors** ont déjà terminé.

20 POINTS
pour les Castors !

10 POINTS
pour les Golden Girls !

COURSE À RELAIS ENDIABLÉE

CASTORS

Résultat	20 POINTS

GRAND TOTAL » 65 POINTS

GOLDEN GIRLS

Résultat	10 POINTS

GRAND TOTAL » 55 POINTS

En apercevant le pointage qui est accordé aux deux équipes, les mascottes sautent sur la patinoire pour **féliciter** les vainqueurs de l'épreuve. Elles serrent les joueurs dans leurs bras, font des *cabrioles* et se laissent tomber pour amuser les spectateurs. Sauf **GOLDEN STAR**, évidemment.

À côté, Corinne et Ti-Guy ne trouvent pas ça drôle... Ils ne trouvent pas ça drôle **DU TOUT !**

— On dirait qu'elles cherchent à faire **DIVERSION**, remarque Corinne, les sourcils froncés.

— Je suis du même avis que toi. Penses-tu qu'elles sont de **connivence** avec les enfants ? demande Ti-Guy, suspicieux.

Elles avaient pourtant les mains vides quand je regardais les estrades, tout à l’heure…

— Tout m’a semblé normal également. Il y avait aussi les joueurs des Vipères qui se tenaient tout près… **C’est louche.** Je les interrogerai plus tard, mais, en attendant, je crois qu’on doit annuler cette épreuve. On ne saura jamais si les **GOLDEN GIRLS** auraient été en mesure de battre les **Castors** sans cette **ATTAQUE** de vêtements.

Cette fois, c'est au tour de Corinne d'écrire à son coach. Elle tape un message en *vitesse,* tout en prenant soin de garder son iPod bien haut pour que Ti-Guy puisse suivre la conversation.

Corinne

Est-ce qu'on refait la course?

Gaétan

Non, les joueurs sont à bout de souffle. Ils ont tout donné, alors je doute qu'ils acceptent de recommencer.

Corinne

Qu'est-ce qu'on fait, dans ce cas?

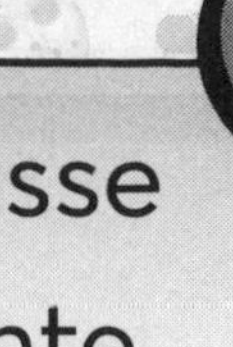

Gaétan

Rien du tout. On passe à l'étape suivante.

Corinne

QUOI? Max et Shea ont patiné avec des obstacles sous leurs lames! C'est totalement injuste!

Gaétan

Ça fait partie des risques. As-tu déjà vu un arbitre mettre fin à un match de la LMHG parce qu'il y avait un bâton brisé sur la glace?

Corinne

Non...

Gaétan

Un morceau d'équipement?

Corinne

Non plus…

Gaétan

Voilà! On est des pros, nous aussi! Agissons comme tels.

Corinne éteint son iPod, la mine DÉCONFITE. Elle jette un œil à Ti-Guy et déclare d'un ton perçant:

— **Épreuve suivante.**

Le problème avec le duel qui suit, c'est qu'il leur cause autant de **soucis** que les précédents. Ti-Guy et Corinne ont préparé une série de défis amusants, question d'ajouter un peu d'humour et de plaisir à la compétition, mais l'aventure est un désastre sur toute la ligne. Chaque fois que les **GOLDEN GIRLS** prennent les **devants,** un événement survient,

les empêchant ainsi
de récolter les points
qui leur reviennent.

- ⊗ Les cibles se déplacent de façon inexpliquée.

- ⊗ Les lumières s'éteignent.

- ⊗ Des cris viennent perturber leur concentration.

Bref, à la fin de cette activité, **l'avance** des Castors est si importante que leur victoire est presque **ASSURÉE.** Corinne et Ti-Guy sont découragés. Ils doivent trouver au plus *vite* l'auteur de cette blague ridicule, sinon ils risquent de perdre toute **crédibilité.** L'événement sera annulé, et ils ne seront pas mieux placés pour déterminer qui conservera son numéro

pour le **GRAND TOURNOI INTERNATIONAL DE BÂTON-SUR-GLACE.**

Aux yeux de Ti-Guy, tout le monde est **SUSPECT,** désormais. Les mascottes, les joueurs, les partisans, les analystes et même... **LES COACHS!** Ils ne lèvent pas le petit doigt pour les aider à identifier le coupable ? Qu'à cela ne tienne ! Il le trouvera lui-même.

— Je crois que j'ai une idée, dit-il à Corinne. Faisons une pause, je vais t'expliquer.

Parmi tous les gens présents, Corinne est la seule personne en qui Ti-Guy ait **TOTALEMENT** confiance. Il l'entraîne donc avec lui dans un des vestiaires, à l'abri des **oreilles** et des **regards** indiscrets.

On me fait **signe** que les activités sont **momentanément INTERROMPUES** afin de permettre à tout le monde d'aller manger, Maurice. Ça tombe bien, je commençais justement **à avoir faim**.

Prenez le temps de vous restaurer, mon ami. De mon côté, je tenterai de **recueillir** quelques **commentaires** de la part des organisateurs.

On vous revient un peu plus tard, mesdames et messieurs. On vous **tient au courant** dès notre retour en ondes.

Jouer un tour
au joueur de tours !
CHAPITRE
12
MISSION HOCKEY

Ti-Guy ferme la porte derrière lui et s'assoit sur un des bancs.

— Ça fait du bien, un peu de SILENCE, hein ? chuchote Corinne en l'imitant, les yeux fermés. Les estrades sont vraiment très **bruyantes**.

— En même temps, je peux comprendre les spectateurs d'être **mécontents,** ajoute Ti-Guy d'une voix abattue. Cette activité est un **DÉSASTRE SUR TOUTE LA LIGNE.**

— Ce n'est pas un **désastre,** tente de l'encourager son amie. C'est juste que... En fait, c'est... Ah, et puis oui, tu as raison ! **C'EST UN DÉSASTRE !**

Le messager anonyme disait vrai. Il y a bel et bien un tricheur parmi nous.

Corinne pousse un grand SOUPIR de découragement et demande à Ti-Guy :

— Alors, c'est quoi, ton idée géniale ? On va enquêter ? On va récolter des indices pour mettre la main sur notre **MÉCHANT PLAISANTIN ?** On va l'arrêter et lui faire avouer ses **crimes** ?

Je pensais à autre chose, en fait.

Ah oui ? À quoi ? Dis-moi tout ! Je t'écoute !

Eh bien, le tricheur semble toujours avoir une longueur d'avance sur nous. Vrai ?

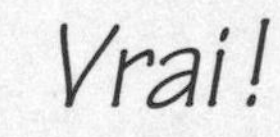

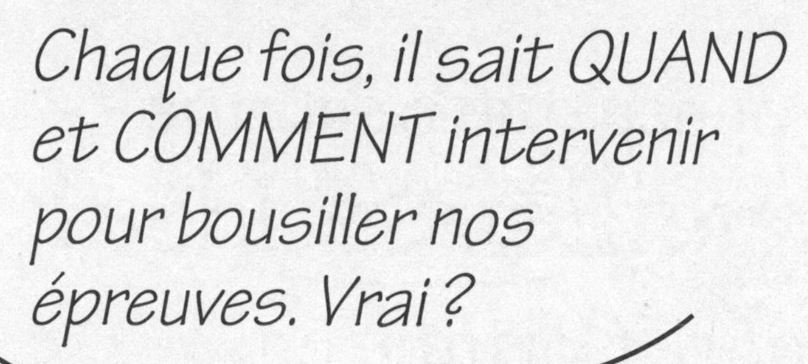
Chaque fois, il sait QUAND et COMMENT intervenir pour bousiller nos épreuves. Vrai ?

Vrai !

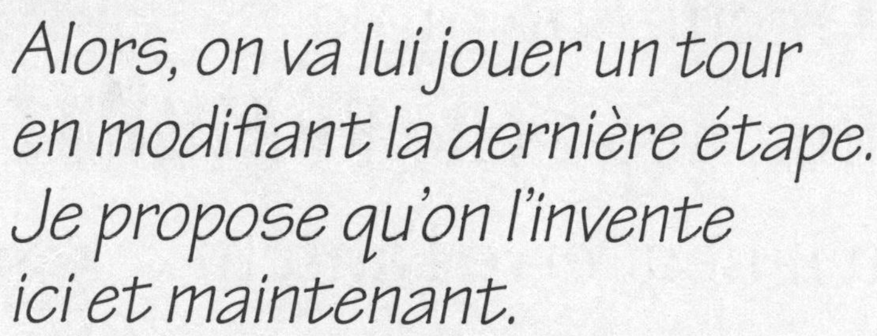
Alors, on va lui jouer un tour en modifiant la dernière étape. Je propose qu'on l'invente ici et maintenant.

Qu'est-ce que tu en dis ?

— Je pense que c'est une **merveilleuse idée !** approuve Corinne en applaudissant. Comme ça, si ça tourne mal, on saura que c'est **toi,** le tricheur !

Ti-Guy a un mouvement de recul. Son amie s'imagine-t-elle **VRAIMENT** qu'il peut être l'auteur de cette mauvaise plaisanterie ?

— Si tu te voyais ! lâche-t-elle en éclatant de rire.

Tu es trop drôle !

La jeune fille le regarde de ses **yeux** brillants, un **sourire** malicieux aux lèvres. Elle donne un coup d'épaule à Ti-Guy, qui se détend quelque peu.

Puis, elle revient au sujet principal de leur discussion.

— Alors, comment imagines-tu la prochaine épreuve ?

— C'est justement ce que j'allais te demander, répond Ti-Guy, songeur. Je suis à court d'inspiration.

— Oui, moi aussi, fait Corinne en se tenant le menton. Attends que je réfléchisse... On pourrait **piger** dans les idées saugrenues de Bobby ?

— As-tu des **PLANCHES À CLOUS** sous la main, toi ?

— Bien sûr que non.

— Et tu crois que les joueurs seraient contents de sauter dans une butte de neige en **maillot de bain** ?

— Non plus.

— Ou de combattre en habit de **lutteur sumo ?**

— OK, laisse tomber cette idée, conclut la jeune fille en balayant l'air du revers de la main. On ferait mieux de trouver autre chose.

— Comme quoi ?

— Quelqu'un a besoin de l'avis d'un expert ? demande une **voix** qui provient du corridor.

Ti-Guy et Corinne échangent un regard **STUPÉFAIT**

et tournent la tête vers l'entrée du vestiaire. Ils se croyaient pourtant **seuls !** Le capitaine avance prudemment en direction de la porte et y colle son oreille pour essayer d'entendre ce qui se passe de l'autre côté. Tout est silencieux.

— **Qui est là ?** crie Ti-Guy. Veuillez vous identifier !

SORTIE
C'est moi, Maurice Cendispourcent ! J'ai cru comprendre que vous aviez besoin d'aide ! Je suis ici pour vous proposer un coup de main.

Corinne fait de **GRANDS** signes à Ti-Guy avec les bras pour qu'il s'écarte de la porte.

— Qui vous a dit qu'on avait besoin d'un coup de main ? s'enquiert Ti-Guy, les sourcils froncés. Vous nous espionnez ?

Pas du tout! Je fais seulement mon **travail.** Je voulais recueillir vos **IMPRESSIONS** sur le déroulement de la journée. Je vous cherchais dans les corridors, et c'est là que je vous ai entendus discuter. J'ai cru comprendre que vous éprouviez quelques **difficultés ?** Je peux me rendre utile, si vous le souhaitez.

Corinne s'approche de Ti-Guy et lui parle au CREUX de l'oreille :

— Ne le laisse pas entrer. Cet homme est une **vraie fouine.** On doit rester juste tous les deux si on veut que notre opération soit un SUCCÈS.

— Ne t'en fais pas, chuchote Ti-Guy, un sourire aux lèvres. **J'AI UN PLAN.**

— OK...

Le capitaine des Castors pose la main sur la poignée et ouvre la porte à Maurice Cendispourcent pendant que son amie le regarde faire, les yeux en points d'interrogation.

— Venez, monsieur Cendispourcent. Nous allons tout vous expliquer.

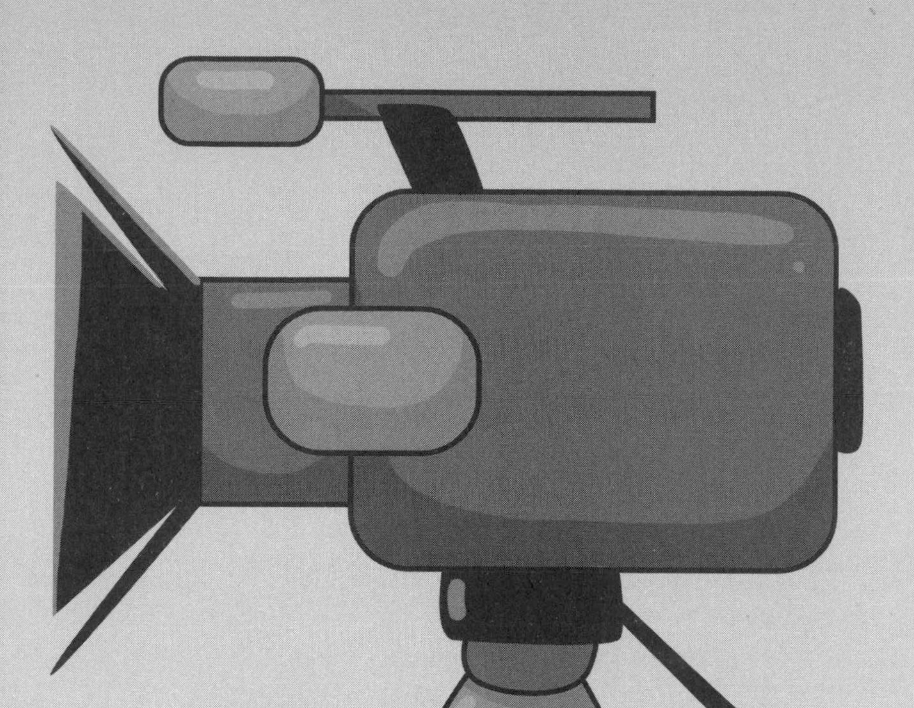

Rien de mieux qu'un « journaliste » pour brouiller les pistes

CHAPITRE 13

Nous faisons face à un **problème** de la plus haute importance. Corinne et moi avons travaillé très fort pour faire de cette journée une réussite, mais un **tricheur** s'amuse à tout gâcher.

Vraiment ?

C'est la triste **vérité.** Nous devons malheureusement effacer les points qui ont été récoltés jusqu'à présent et recommencer à zéro. Une **ultime épreuve** départagera les deux équipes.

Oh ! Voilà qui est intéressant ! Dites-moi, en quoi consistera ce dernier duel ?

Je préfère garder le secret pour le moment.

Peut-être pourriez-vous me donner un petit indice de rien du tout ? **Juste à moi ?** Je promets de tenir ma langue.

Maurice CendiSpourcent couvre le micro avec sa main et regarde Ti-Guy de ses yeux **suppliants.** Mais le capitaine tient bon. Il doit suivre son plan s'il veut que sa stratégie fonctionne.

Désolé, ce sera tout. Pourriez-vous informer les participants qu'on sera prêts à **reprendre** dans quinze minutes? Corinne et moi avons encore quelques détails à régler. Merci de nous laisser seuls, maintenant.

Maurice Cendispourcent ferme son micro et sort du local, l'air PENAUD. Corinne referme la porte derrière lui et se tourne vers son ami, intriguée :

— Explique-moi *vite* ton **plan** parce que je n'y comprends absolument **rien**.

— J'ai pleinement **confiance** en cet homme, répond Ti-Guy d'une voix exagérément **FORTE.** Je suis sûr qu'on peut se **fier** à lui.

Corinne fronce les sourcils, l'air de se demander s'il est vraiment utile de crier ainsi. Au lieu de lui expliquer ce qu'il a en tête, Ti-Guy pointe la petite ouverture sous la porte. Une ombre se déplace doucement,

comme si quelqu'un les **ESPIONNAIT.** Corinne écarquille les yeux et lâche un hoquet de surprise.

« Ça y est ! » se dit Ti-Guy. **« Elle a compris ! »**

Le capitaine des **Castors** connaît **Maurice Cendispourcent** depuis longtemps. Il peut très bien l'imaginer, en ce moment même, l'oreille aux aguets, essayant d'entendre les moindres **DÉTAILS** de leur conversation.

« Il veut tout savoir ? » pense Ti-Guy ? « Il va être servi ! »

Rien de mieux pour **BROUILLER LES PISTES** qu'un analyste qui se prend pour un journaliste. Les deux complices vont lui donner la **MAUVAISE** information. Ils s'assureront ainsi que la prochaine épreuve demeurera **ENTIÈREMENT** confidentielle.

— Je crois qu'on devrait envisager l'idée de Bobby Zamboni, dit Corinne en élevant la **voix** pour que Maurice l'entende bien.

— **LAQUELLE ?** demande Ti-Guy tout aussi **fort**. **LE LANCER DE LA BOTTE ?**

— **Non**, la **COURSE** avec les mains et les pieds attachés. Je pense que ça pourrait être amusant.

— **JE SUIS TOUT À FAIT D'ACCORD!**

Les deux amis continuent de discuter à voix haute afin d'induire **Maurice Cendispourcent** en erreur. Pendant ce temps, ils s'écrivent quelques mots sur leurs iPod dans le but de planifier la **VRAIE épreuve finale.** Celle qui demeurera SECRÈTE.

Ti-Guy

Une idée?

Corinne

Pas encore. Toi? 

Ti-Guy

Bras de fer?

Corinne

Non! Tir de précision?

Ti-Guy

Déjà fait. On doit être plus créatifs.

Corinne

Une petite partie?

Ti-Guy

De hockey?

Corinne

BIEN SÛR, de hockey! Certainement pas de golf!

Ti-Guy

C'est intéressant…

Corinne

Trois contre trois.
Durée: dix minutes.

Ti-Guy

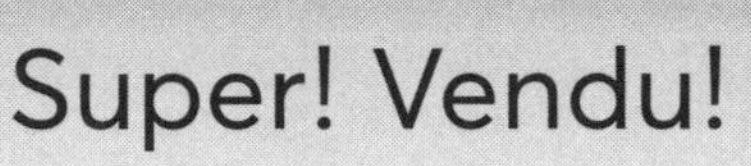

Super! Vendu! 

Les deux amis se tapent dans la main en SILENCE, heureux d'avoir trouvé **l'idée parfaite**. Ils continuent tout de même de parler à voix haute pendant un moment, le temps que **Maurice Cendispourcent** s'en aille. Puis, ils quittent enfin le local pour retrouver leurs **COÉQUIPIERS.**

L'action est sur le point de reprendre, chers spectateurs ! Cette petite pause aura permis aux participants de faire le plein d'énergie pour la suite de **l'aventure !**

Il s'agit de **l'ultime épreuve,** d'après ce que j'ai compris. Inutile de vous répéter à quel point L'ENJEU est **important.**

En effet, Maurice. Tout est une question de **numéros**. L'équipe gagnante aura la possibilité de choisir les chandails qu'elle portera lors du **GRAND TOURNOI INTERNATIONAL DE BÂTON-SUR-GLACE !** **C'est ÉNORME !**

Tournons-nous vers la patinoire, si vous le voulez bien.

Corinne et Ti-Guy sont FÉBRILES. Ils sont si heureux d'avoir trouvé le moyen de déjouer le tricheur qu'ils s'empressent de réunir les joueurs dans un coin de la glace pour leur expliquer le déroulement de l'activité.

— Si je comprends bien, on repart à **ZÉRO ?** se plaint la capitaine des **GOLDEN GIRLS** en levant les yeux

au ciel. Le **tir frappé, la course, les habiletés,** on a fait tout ça **pour rien ?**

— Tu devrais être contente, riposte Hugo. Tu **rouspètes** sans arrêt depuis ce matin. Là, au moins, on va être évalués sur ce qu'on fait de mieux : jouer au **HOCKEY !** On pourrait difficilement trouver plus **équitable.**

Max pince les lèvres, CONTRARIÉE de s'être fait rabrouer devant tout le monde, et hausse les épaules.

— Oui, tu as peut-être raison.

— OK. Si vous êtes prêts, je vous demanderais de vous mettre en **position,** lance Corinne en patinant jusqu'à la ligne rouge. **TI-GUY ?** Tu informes les spectateurs ?

— Je m'en occupe!

Le capitaine se rend jusqu'à la cabine des marqueurs et **change** les indications au tableau afin de présenter la **dernière épreuve.**

DERNIÈRE ET ULTIME ÉPREUVE

Quoi de mieux pour évaluer des joueurs de HOCKEY qu'une PARTIE DE HOCKEY?

LES RÈGLES SONT SIMPLES

L'équipe qui aura marqué le plus de buts après dix minutes de jeu remportera la victoire. En cas d'égalité, des tirs de barrage détermineront un gagnant.

Eh! Attendez! Ce n'est pas ce qui avait été convenu!

Qu'est-ce que vous racontez? Je croyais que l'information était demeurée **secrète.** Vous avez obtenu des **renseignements différents**?

Tout à fait ! J'ai rencontré les organisateurs, tout à l'heure, et il était question d'une **COURSE !** Les participants devaient avoir les mains et les pieds attachés pour que l'activité soit plus amusante. **ARGH !** Ça veut dire que j'ai **entaillé les bouts de corde** pour rien ?

Attendez une seconde, cher collègue... Êtes-vous en train **d'avouer** que vous avez **trafiqué** les épreuves pour **favoriser** une équipe ?

Euh...

Qui l'eût cru ?

Maurice CendiSpourcent pose une main sur sa bouche, comme s'il essayait d'empêcher tout autre son d'en sortir. Mais c'est **TROP TARD :** il vient d'admettre son **méfait.** Sa révélation a été entendue par des **MILLIERS** de partisans et de téléspectateurs !

Dans l'aréna, c'est la

STUPÉFACTION LA PLUS TOTALE.

Le SILENCE emplit les estrades et les joueurs se questionnent du regard, visiblement sous le CHOC. Même les mascottes arrêtent leurs cabrioles, le temps de comprendre ce qui se passe.

De son côté, Ti-Guy assemble tranquillement les morceaux du casse-tête.

Les indices étaient pourtant là, devant ses yeux, sans qu'il les voie. **Maurice** a toujours préféré les **Castors**. Il allait jusqu'à prétendre que les Vipères et les **GOLDEN GIRLS** ne méritaient pas de jouer à Bâton-sur-Glace. L'homme était parfois **INTENSE,** mais Ti-Guy ne le pensait pas capable de commettre des **actes** aussi **répréhensibles.**

Les murmures remplissent
de plus en plus l'aréna et
certains commentaires
se rendent jusqu'aux oreilles
du capitaine.

— **Maurice Cendispourcent** est un **tricheur ?** Crois-tu ça, toi ?

— C'est **impossible**. Il doit y avoir une explication.

— Il ne l'a peut-être pas fait exprès !

Ti-Guy patine en direction des joueurs et les rassemble pour une petite réunion d'urgence.

— Qu'est-ce qui va lui arriver, à **Maurice Cendispourcent** ? s'enquiert Marc, les yeux ronds.

Est-ce qu'on va l'envoyer en **prison,** tu crois ? Les policiers vont l'arrêter ? Il va finir ses jours dans une **CELLULE SOMBRE** et remplie d'araignées dégoûtantes ?

— Tu exagères, mon chatounet, lui murmure son amoureuse d'un ton affectueux. On n'emprisonne pas les gens pour **ça.**

— Il a quand même **triché** pendant un événement de la plus **haute importance !** renchérit Hugo. Il doit être **puni.**

— Je crois qu'il a décidé de se punir tout seul, constate Ti-Guy en pointant un doigt vers l'homme.

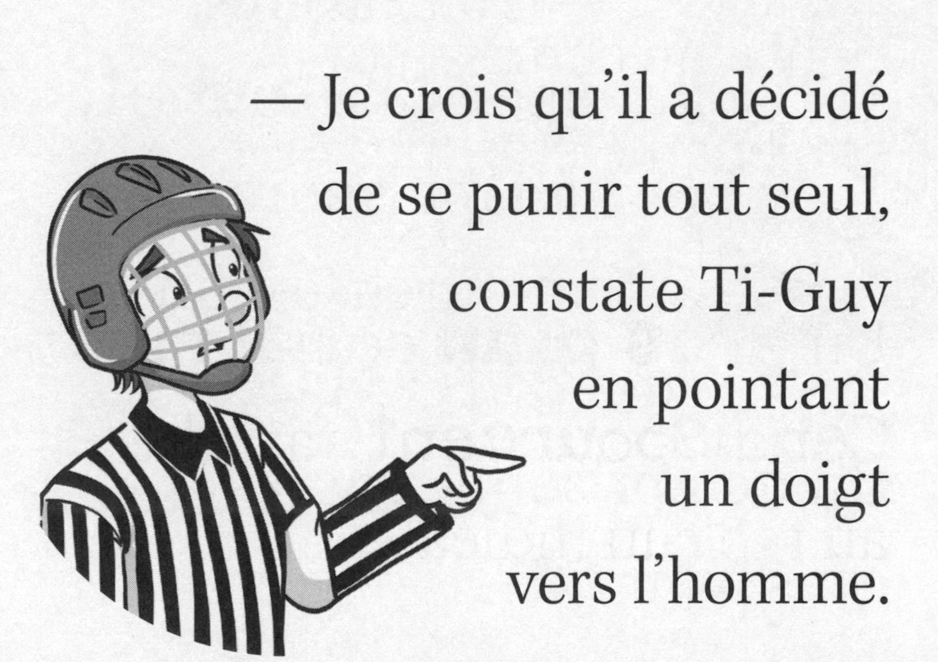

Le spectacle est assez DÉSOLANT. Stanley Crosby tient une caméra sur son épaule et filme son collègue sans dire un mot. Un **gros plan** de Maurice Cendispourcent s'affiche au tableau indicateur

et les partisans se
taisent avec **respect.**
Tout le monde le connaît
à **BÂTON-SUR-GLACE,**
lui qui fait partie de la
grande famille de
MISSION HOCKEY depuis
ses tout débuts. Les jeunes
ont grandi avec lui.
Ils l'ont écouté commenter
les **joutes** et les
entraînements
plusieurs fois par semaine.

Bonjour, mesdames et messieurs. Ici **Maurice Cendispourcent** en direct de Bâton-sur-Glace. C'est avec beaucoup d'émotion que je vous informe de ma **démission**. Ceci sera ma **dernière apparition télévisée.**

L'homme marque une
petite **pause**, le temps
de s'essuyer les yeux.
Un **SILENCE DE MORT**
règne dans l'aréna.
On n'entend rien d'autre
que le **grésillement**
des lumières au plafond.
Les gens attendent
la suite avec **CRAINTE.**

Je me suis **mal comporté** au cours de la journée. Mon désir de voir les Castors l'emporter était si grand qu'il a **faussé** mon jugement et m'a fait prendre de mauvaises décisions. C'est moi qui ai **truqué** l'exercice de tir frappé. J'ai **déréglé** le capteur de vitesse. C'est également à cause de moi que des vêtements ont été jetés sur la patinoire lors de la deuxième épreuve. J'ai promis une sucette glacée aux enfants pour chaque morceau lancé. Et c'est aussi moi qui...

C'est bon, je crois **qu'on a compris.** Inutile de **continuer,** Maurice.

Oui, OK. En résumé, je tiens à **m'excuser** publiquement pour mon comportement. **C'était inapproprié.** Je donne donc ma **démission,** en espérant que vous trouverez quelqu'un de bien pour me remplacer. Merci d'avoir partagé l'antenne avec moi, **Stanley.** Vous avez été un **formidable coéquipier.** Passez une belle fin de journée, **mesdames et messieurs.**

Maurice Cendispourcent **s'éloigne** de la caméra, **rend** son micro et **quitte** le banc des joueurs sans un mot de plus. La foule demeure SILENCIEUSE un moment, puis, à la grande surprise de Ti-Guy, se met à applaudir chaleureusement. C'est qu'il faut bien du courage pour avouer ses **TORTS** en public.

Pendant que les gens
se désolent du départ
de leur analyste sportif,
Corinne observe
attentivement Stanley
Crosby, les yeux plissés.

— Qu'est-ce qu'il y a ?
demande Ti-Guy.

— Je pense qu'on vient
de trouver **l'auteur** de
notre message anonyme,
affirme la jeune fille.

Corinne donne un coup de menton en direction de Stanley, qui essuie une larme au coin de son œil, alors que tous les regards sont tournés vers son **ex-collègue**.

— Tu crois qu'il était **au courant** de ce qui allait se passer ?

— Oui, regarde comment il fixe l'endroit où on a trouvé le **mot.** Je suis sûre que c'est **LUI** qui l'a écrit pour nous. Ce n'est pas facile de dénoncer un ami, alors j'imagine que c'est le moyen qu'il a trouvé.

— Tu as sûrement raison, marmonne Ti-Guy, sans quitter Stanley des yeux.

Les deux amis restent un moment sur la patinoire, chacun perdu dans ses pensées. Puis, Ti-Guy secoue la tête et se rappelle que la journée est loin d'être terminée.

— Bon ! On a une partie à disputer, s'exclame-t-il en faisant signe à ses joueurs de se relever. **EST-CE QUE VOUS ÊTES PRÊTS ? OUI ?** Commençons !

L'affrontement ultime !

CHAPITRE 15

C'est tout un **défi** qui attend les joueurs. Une partie à **TROIS** contre **TROIS** peut s'avérer extrêmement difficile, surtout pendant les dernières minutes de l'affrontement. Il faut faire preuve de stratégie, de FINESSE et, surtout, **D'ENDURANCE,** puisqu'il est impossible d'effectuer des changements.

Corinne donne ses directives :

⊗ Les mises en échec sont interdites.

⊗ Les insultes sont interdites.

⊗ Les coups de bâton sont interdits.

— Attention, vous êtes prêts ? **C'est parti !**

La **rondelle** vient d'être déposée, mesdames et messieurs. Ici Stanley Crosby en compagnie de Maurice Cendispourc...

Stanley s'arrête au milieu de sa phrase, tourne sa tête vers la **droite,** et ensuite vers la **gauche.** Son visage s'affaisse, et il continue d'un ton **MONOTONE :**

Désolé, chers amis. J'avais oublié que mon collègue avait **quitté** l'aréna. Bon, j'imagine que je vais m'y faire. Comme je le disais, **euh... eh bien...** oui, c'est ça. La rondelle est maintenant déposée sur la **glace.** Elle glisse sur la **glace.** Et il y a un joueur qui la fait glisser sur la **glace.**

Stanley Crosby s'interrompt. Il se frotte le front avec la main et ferme les yeux un moment, l'air complètement ABATTU. Pendant ce temps, il y a de l'action sur le jeu ! Les GOLDEN GIRLS manient le disque avec **assurance,** exécutent de magnifiques passes et parviennent à compter le premier but, au grand désespoir des Castors.

Oups! J'étais dans la lune! Pourquoi est-ce que tout le monde **crie?** Il y a eu une **bagarre?** Un **blessé?** Attendez... je crois que la rondelle est au fond du filet. Oui, c'est bien ça, les **GOLDEN GIRLS** viennent d'ouvrir la marque. **Bravo, les filles!**

Marc, Hugo et Otto sont **déçus**, mais ils gardent la tête haute. Encouragés par leurs coéquipiers dans les estrades, ils se replacent pour la mise en jeu, prêts à répliquer.

Bon, c'est reparti. Corinne **dépose** la rondelle. Hugo s'en empare. Il **patine** le long de la bande. Il fait une **passe** à Marc, non, à Otto Graff. Celui-ci **fonce** dans la zone adverse. Il **décoche** un tir et manque la cible. ZUT. Ça y était presque, n'est-ce pas, Mauri... OH, c'est vrai, je suis toujours seul. **Purée de rondelle !** En plus, j'ai raté un autre but. Cette fois, c'est Hugo Letour-Duchapeau qui a **marqué.** Fera-t-il un tour du chapeau encore aujourd'hui ?

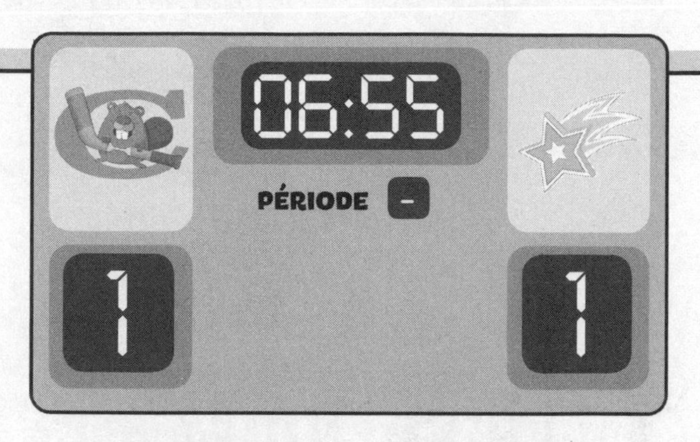

La partie reprend, et Ti-Guy a beaucoup de mal à contenir sa joie quand Marc permet aux Castors de devancer les **GOLDEN GIRLS**.

— OUI ! **BIEN JOUÉ !**

Corinne pourrait lui **EN VOULOIR** de prendre parti pour ses coéquipiers, mais elle se contente de hausser les épaules en souriant.

Étrangement, l'événement
a pris une tournure plutôt
amicale, et le reste
de l'affrontement se
termine dans le plaisir
et la **bonne humeur.**

Enfin, presque...

Stanley Crosby semble
être le seul à broyer du **noir.**
Il s'intéresse à peine à ce
qui se déroule sur la glace,
il bafouille sans arrêt

et passe sous SILENCE les manœuvres les plus **impressionnantes**. Il oublie même de mentionner **LE BUT** compté à seulement **TROIS SECONDES** de la fin.

Alors, chers téléspectateurs, on dirait bien que la **partie est finie.** Et le score est de **CINQ À CINQ** pour... **Ah, ben** pour **personne**, en fait. C'est **l'égalité.** Est-ce qu'on va en période de **prolongation**?

Ti-Guy rejoint Corinne
sur la patinoire pour avoir
son avis.

— Qu'est-ce qu'on fait ?
Est-ce qu'on ajoute
du temps au tableau
indicateur ?

— **Non**, répond Corinne
en jetant un coup d'œil
aux joueurs. Tout le monde
est **épuisé.** Je pense que
nos amis ont tout donné.

00:00
PÉRIODE –
5
5
DJ

— On pourrait continuer en tirs de barrage, dans ce cas ?

— **Sans gardien de but ?** **Oui, pourquoi pas...** C'est moins impressionnant, mais ça peut faire le travail.

Pendant que les organisateurs se consultent, les patineurs, de leur côté, en profitent pour reprendre leur *souffle.* Ils s'assoient sur le banc, boivent une

gorgée d'eau et discutent dans le CALME. Puis, ils se lèvent et demandent à parler à Corinne et à Ti-Guy.

— On a pris une **décision,** annonce la capitaine des **GOLDEN GIRLS**, les bras croisés sur la poitrine. Et on ne changera pas d'idée, alors ouvrez grand vos oreilles et écoutez.

Question de chance ou de talent ?

Ti-Guy est à la fois FÉBRILE et **nerveux.** Il est toujours un peu inquiet lorsqu'il s'agit de Max et de ses idées saugrenues **(ET PARFOIS EXTRÊMES !)**. Il se mord l'intérieur de la joue, impatient, en attendant que ses camarades se décident enfin à parler.

— On a trouvé une **SOLUTION** à notre problème, annonce fièrement Hugo.

— Ah oui ? réplique Corinne, les sourcils relevés.

Ti-Guy fait signe à son ami de continuer, mais ce dernier jette un œil en direction de ses **COÉQUIPIERS.**

— Roulement de tambour ? propose-t-il, un grand sourire aux lèvres.

Les joueurs se mettent à frapper sur leurs **cuisses** avec leurs gants pour étirer le SUSPENSE.

— **ALLEZ!** crie Ti-Guy. Les spectateurs attendent la suite!

— OK, fait Hugo en tâchant de retrouver son SÉRIEUX. Cette partie a pris une tournure **inattendue**. Ça m'a amené à réfléchir. J'en ai parlé aux autres, et ils sont du même avis que moi.

— **ET?**

— **ET VOILÀ :** je suis prêt à céder mon numéro.

Ça me fera plaisir de le laisser à Max pour le tournoi. Je vais m'en trouver un autre.

— **QUOI ?** Mais c'est **merveilleux !** s'exclame Corinne.

—**ES-TU SÉRIEUX ?** questionne Ti-Guy, étonné par les propos de son ami. Ce numéro te porte **chance !**

— J'ai marqué **UN SEUL BUT**, tout à l'heure, lui rappelle son coéquipier.

Ti-Guy hoche la tête.
Hugo a complété un tour du chapeau à chacun de ses matchs depuis qu'il a quitté son poste de gardien.
À chacun de ses matchs, **SAUF** à celui d'aujourd'hui...

— Je me suis donc demandé d'où me venait vraiment ma **chance,** continue le garçon sans cesser de sourire.
Je sais que ce n'est pas une question de **talent**:

j'ai du mal à patiner, je manie la rondelle comme un enfant de **TROIS ANS** et je tombe dès que j'essaie d'effectuer un lancer. Qu'est-ce qui m'aide à jouer, dans ce cas, si ce n'est pas mon **numéro ?**

Ti-Guy hausse les épaules, et Corinne en fait tout autant.

— **Ce sont mes lacets.**

— **TES LACETS ?** répète Ti-Guy en grimaçant.

— **OUI !** répond Marc Aubut à la place de son ami. Hugo les a changés ce matin, tu imagines ? Il a mis des **ROUGES ! DES ROUGES !** C'est pour cette raison qu'il a manqué de chance. Je lui ai dit que c'était une mauvaise idée, **mais il n'en a fait qu'à sa tête !**

Tout le monde sait que
les lacets doivent être de la
même couleur que
le **RUBAN DU BÂTON**, sinon
ça porte malheur !
On en a la preuve !

— *OK*, **du calme,** Marc,
fait Corinne en levant
les mains. L'important,
c'est qu'il accepte de laisser
son numéro à Max.
Personnellement, je trouve
ça génial. N'est-ce pas, Max ?

La jeune fille hoche la tête et sourit, fière d'avoir remporté cette petite victoire.

Ti-Guy aussi est content, mais il se demande si la couleur des lacets d'Hugo a vraiment un lien avec ses **performances.** En même temps... il ne peut pas vraiment se permettre de juger les superstitions de son ami. Il en a lui-même des tas, et ça lui a **TOUJOURS RÉUSSI.**

Pendant que Ti-Guy réfléchit, les mascottes font des folies. Elles sautent sur la glace, se laissent tomber sur leurs fesses, tirent les chambres à air d'un bout à l'autre de la patinoire et font comme si elles participaient aux épreuves en ratant à peu près tout ce qu'elles font, au grand plaisir des **jeunes** et **des moins jeunes.**

— Je suis également **prête** à céder mon numéro, annonce D.J. Sous-Band, contre toute attente. Le 76 ne me va plus du tout. Ma mère m'a offert un instrument neuf pour mon anniversaire, alors mon équilibre musical est complètement BOULEVERSÉ.

En plus, mon inspiration
est revenue ! J'ai terminé
une chanson hier soir.
Le total de mes compositions
s'élève donc à **77,**
maintenant. Et je considère
que je peux atteindre
de nouveaux sommets
si je me fixe un
objectif plus **GRAND.**
Que pensez-vous du **99 ?**
Oui, c'est bon, ça...

Ti-Guy est **ÉTONNÉ.**
Corinne et lui se sont donné
beaucoup de mal pour
organiser cette journée,
et voilà que leur problème
est en train de se régler
de **lui-même.** Il se tourne
vers Shea et Otto Graff
pour jauger leur réaction.
Toujours aussi **INTRAITABLE,**
Shea croise les bras et
serre les dents.

À côté d'elle, Otto lève les sourcils, l'air de se demander de quoi il en retourne. Il semble finalement comprendre que tout le monde attend une **réponse** de sa part.

— Moi bientôt rentrer pays à moi, dit-il avec un accent prononcé. Moi **OK** pour la changer la numéro.

— En es-tu certain ? lâche Ti-Guy, un peu sceptique. Est-ce que Shea t'a menacé ? Elle t'a fait **peur**, c'est ça ?

— **VOYONS**, **Ti-Guy !** intervient Corinne en lui donnant un coup de coude.

— **Non... Elle, gentille,** tente d'expliquer Otto à l'aide de gestes en direction de Shea. Moi juste envie partir. Longue journée.

— Je crois qu'il est FATIGUÉ, affirme Shea, un grand sourire aux lèvres. Je suis bien d'accord avec ça. S'il est prêt à me laisser son numéro, **moi, je dis qu'on doit accepter.**

Ti-Guy consulte Corinne afin de prendre la meilleure décision pour les deux équipes et annonce enfin :

— Alors, tout est réglé ?

— **TOUT EST RÉGLÉ !** conclut la jeune fille, le visage heureux. Je vais demander à Stanley de transmettre la nouvelle aux spectateurs.

Bon, eh bien, il semblerait qu'il y ait un changement de **dernière minute,** mesdames et messieurs. Je croyais qu'on m'informait du retour de Maurice Cendispourcent, mais il s'agit d'autre chose. Toute cette journée aura été une véritable **perte de temps,** puisque les joueurs se sont entendus sur la répartition de leurs numéros.

Sur la glace, Corinne fait les **gros yeux** à Stanley, qui essaie de se ressaisir quelque peu. Son manque de professionnalisme étonne tout le monde dans les estrades.

Quoi ? Mon collègue est parti **pour rien! Oui, pour rien!** S'il avait su que ça se terminerait de cette façon, je suis sûr qu'il n'aurait pas risqué son poste pour aider les **Castors**.

Ti-Guy patine dans sa direction et lui fait signe de se RESSAISIR.

Oui, bon, l'essentiel, c'est que les joueurs soient parvenus à trouver un **terrain d'entente** et que l'équipe soit Soudée plutôt que divisée. C'est important, une équipe Soudée !

Maintenant que la question est réglée, les entraîneurs vont pouvoir commencer à préparer les jeunes en vue du **GRAND TOURNOI INTERNATIONAL DE BÂTON-SUR-GLACE.** J'espère que vous serez au **rendez-vous**, mesdames et messieurs.

La foule **applaudit** chaleureusement.
Les partisans semblent avoir apprécié le spectacle.

Pendant que l'aréna se vide peu à peu, les entraîneurs et les joueurs des deux équipes se réunissent sur la patinoire pour tout ranger. On termine par une poignée de main officielle, et chacun est libre de rentrer. Une fois chez lui, Ti-Guy s'empresse d'écrire à Corinne. Il a trop **hâte** de lui raconter la conversation qu'il a eue avec son **PÈRE** alors qu'il était dans la voiture.

Ti-Guy

Salut, Corinne. Es-tu arrivée chez toi?

Corinne

Oui. Mes parents sont fiers de nous. Ils trouvent qu'on a très bien géré la situation malgré les imprévus.

Corinne

Ti-Guy

Pareil ici. Je vais même avoir droit à un repas spécial pour l'occasion! Des saucisses sur BÂTON, et une queue de CASTOR!

Corinne

Une queue de CASTOR? Miam! Mon dessert préféré!

Ti-Guy

Comme moi!
Hé, tu sais quoi?
Mon père dit que
Stanley Crosby prévoit
faire passer une
entrevue à quelques
candidats dès la
semaine prochaine.
Il cherche à remplacer
Maurice Cendispourcent.

Corinne

Sérieux? Je croyais
pourtant que le départ
de son collègue
l'attristait.

Justement! Stanley affirme qu'il doit s'y mettre dès maintenant s'il veut trouver quelqu'un d'aussi compétent que Maurice. Il s'ennuie déjà de lui.

Corinne

Eh bien, je suis curieuse de voir qui sera choisi.

Ti-Guy

Moi aussi. En tout cas, j'espère qu'il sera à la hauteur. Commenter le Grand tournoi international de Bâton-sur-Glace, ce sera tout un contrat!

Corinne

Et c'est bientôt! Plus que trois semaines à patienter!

Ti-Guy

OUI! J'ai tellement hâte! On se voit mercredi à l'entraînement?

Corinne

Sans faute! Bonne soirée, Ti-Guy!

Ti-Guy

Bonne soirée à toi aussi!

À Suivre...

GENEVIÈVE GUILBAULT
TI-GUY LA PUCK 1
LA RÉVOLTE DES MASCOTTES
GENEVIÈVE GUILBAULT
TI-GUY LA PUCK 2
LES CASTORS SONT LES PLUS FORTS
GENEVIÈVE GUILBAULT
TI-GUY LA PUCK 3
LA GUERRE DES NUMÉROS
Découvre
les aventures
de
TI-GUY
LA PUCK

En attendant la suite, l'auteure te propose de **découvrir** une autre série remplie d'action et d'aventures.

BONNE LECTURE !

N°1

Auteure jeunesse

Geneviève Guilbault

On dit que la nuit porte conseil, mais pour Geneviève, elle est surtout **porteuse d'inspiration.** *Amoureuse des livres,* **de hockey** *et de bon thé, cette auteure drummondvilloise vous présente ici le nouveau tome de* **Ti-Guy La Puck.** *Elle écrit également dans les séries* **BFF, Ma première BFF, Mon BIG à moi, Mon mini BIG à moi, Textos et cie,** *et, chez Boomerang,* **Billie Jazz.**

Tu as le goût de **tout savoir** à propos des livres de l'auteure ?

Tu souhaites **participer** à de **fabuleux concours ?**

Tu as envie **d'écrire** à **Geneviève ?**

Viens visiter sa page **Facebook** :

Geneviève Guilbault, auteure jeunesse.